딱! 한권으로 끝내는 코딩 자격증

COS 3급 스크래치

최신 출제 유형 완벽분석

김미순 · 박희정 · 한숙진 저

이향숙 · 박혜림 감수

YD 연두에디션
Edition

딱! 한권으로 끝내는 코딩 자격증
[COS 3급] **스크래치**

발행일   2023년 8월 15일 초판 2쇄
지은이   김미순 · 박희정 · 한숙진
감 수   이향숙 · 박혜림
펴낸이   심규남
기 획   염의섭 · 이정선
표 지   이경은 | **본 문** 이경은
펴낸곳   연두에디션
주 소   경기도 고양시 일산동구 동국로 32 동국대학교 산학협력관 608호
등 록   2015년 12월 15일 (제2015-000242호)
전 화   031-932-9896
팩 스   070-8220-5528
ISBN   979-11-88831-47-0
정 가   16,000원

이 책에 대한 의견이나 잘못된 내용에 대한 수정정보는 연두에디션 홈페이지나 이메일로 알려주십시오.
독자님의 의견을 충분히 반영하도록 늘 노력하겠습니다.
홈페이지 www.yundu.co.kr

COS 자격증 소개

COS 회원 가입 및 시험 접수 안내

스크래치 시작하기

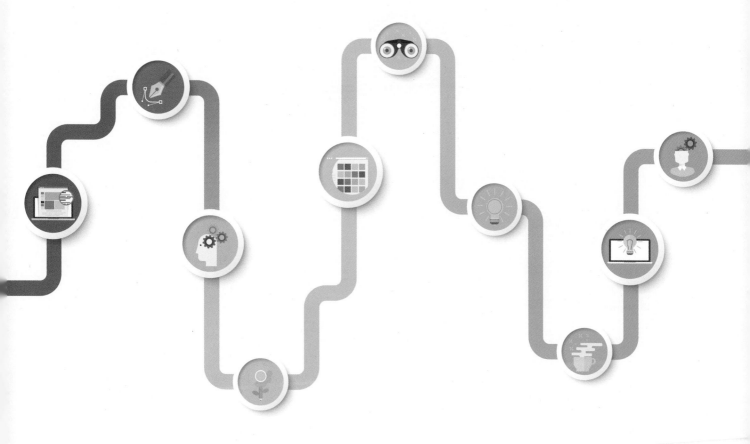

COS 자격증 소개

01 코딩 교육 정부정책

4차 산업혁명에 따른 코딩 의무교육
"이해하기 쉬운 프로그래밍부터 시작하세요!
첫 시작은 YBM COS자격증입니다"

초중고교 소프트웨어 교육강화방안

코딩활용능력평가

	현행	강화 방안	적용 시기
초	'실과'에서 ICT 단원 12시간교육	- '실과'에서 소프트웨어 기초 17시간 이상 교육 - 알고리즘, 프로그래밍 체험과 정보윤리의식 교육	2019년
중	'실과'가 선택과목	- '정보'를 필수과목으로 바꿔 34시간 이상 교육 - 컴퓨팅 사고에 기반한 문제 해결 능력과 간단한 프로그래밍, 알고리즘 교육	2018년
고	'정보'가 심화선택 과목	- '정보'를 일반선택과목 변경 - 다양한 분야와 융합한 알고리즘, 프로그램 설계 등 교육	2018년

02 COS자격증 시험소개

코딩활용능력평가

COS(Coding Specialist)란? Scratch, Entry에 대한 자격증으로 높은 수준의 프로그래밍 활용능력이 있음을 증명 할 수 있습니다.

COS(Coding Specialist)는 시작부터 종료까지 100% 컴퓨터상에서 진행되는 CBT(Computer Based Test)로 평가 방식이 정확함은 물론 시험 종료 즉시 시험 결과를 알 수 있습니다.

대학교에서 진행하는 IT교육프로그램(코딩)에는 공신력있는
"YBM 코딩자격증으로 평가"

03 COS자격증 시험구성

자격증 Level 및 합격기준 응시료 안내

1급 Advanced	2급 Intermediate	3급 Basic	4급 Start
검정방법: 실기시험 검정시험형태: -10문제(실기) -시험시간(50분) 합격기준: 700점이상	검정방법: 실기시험 검정시험형태: -10문제(실기) -시험시간(50분) 합격기준: 600점이상	검정방법: 실기시험 검정시험형태: -10문제(실기) -시험시간(40분) 합격기준: 600점이상	검정방법: 실기시험 검정시험형태: -10문제(실기) -시험시간(40분) 합격기준: 600점이상
응시료 ₩25,000	응시료 ₩23,000	응시료 ₩20,000	응시료 ₩20,000

IBM 한국 TOEIC 위원회

04 COS시험 소개

테스트 특징

- 100% CBT방식
- Input/Ouput 평가 가능
- 시험 결과 제출직후 결과 확인 가능

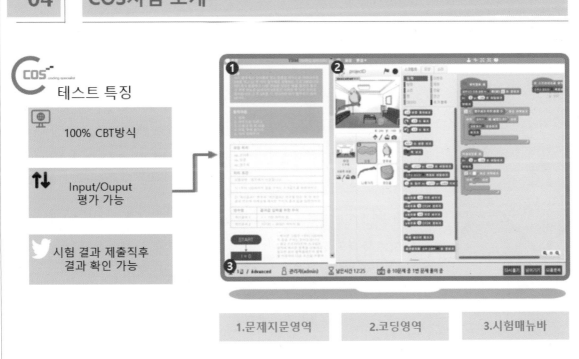

1.문제지문영역   2.코딩영역   3.시험매뉴바

IBM 한국 TOEIC 위원회

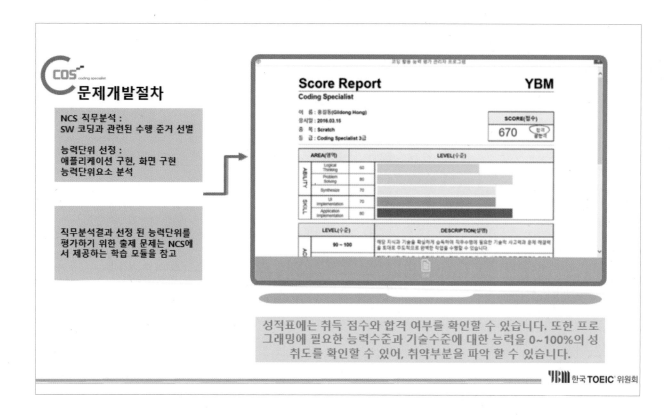

성적표에는 취득 점수와 합격 여부를 확인할 수 있습니다. 또한 프로그래밍에 필요한 능력수준과 기술수준에 대한 능력을 0~100%의 성취도를 확인할 수 있어, 취약부분을 파악 할 수 있습니다.

05 COS자격증 활용사례

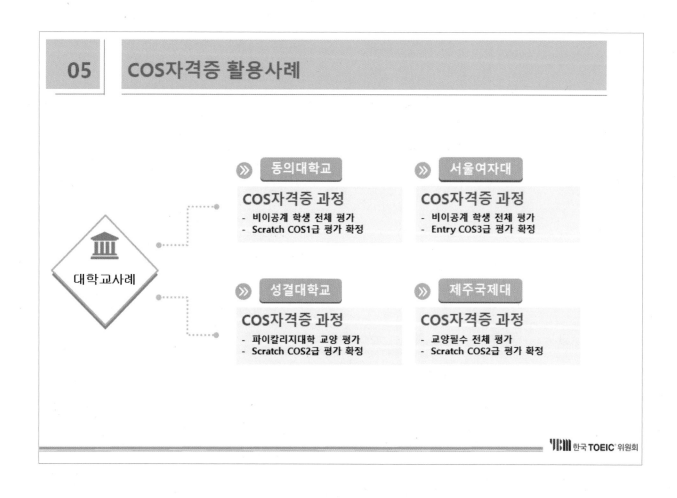

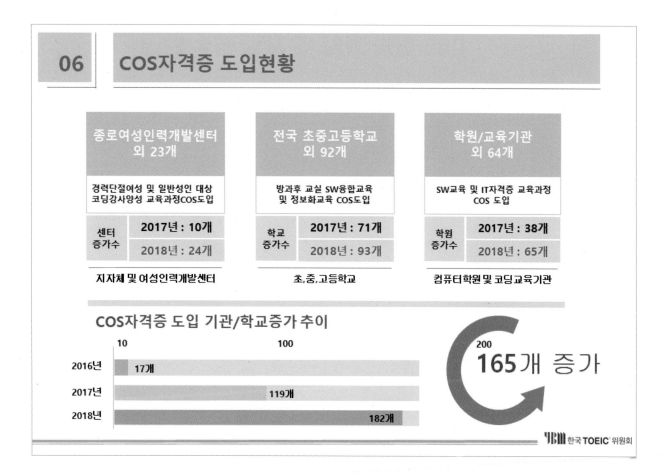

06 COS자격증 도입현황

종로여성인력개발센터 외 23개	전국 초중고등학교 외 92개	학원/교육기관 외 64개
경력단절여성 및 일반성인 대상 코딩강사양성 교육과정COS도입	방과후 교실 SW융합교육 및 정보화교육 COS도입	SW교육 및 IT자격증 교육과정 COS 도입

센터 증가수	2017년 : 10개	학교 증가수	2017년 : 71개	학원 증가수	2017년 : 38개
	2018년 : 24개		2018년 : 93개		2018년 : 65개

지자체 및 여성인력개발센터 　　초,중,고등학교 　　컴퓨터학원 및 코딩교육기관

COS자격증 도입 기관/학교증가 추이

	10	100	200
2016년	17개		
2017년		119개	
2018년			182개

165개 증가

YBM 한국 TOEIC 위원회

COS 회원 가입 및 시험 접수 안내

1. 회원 가입하기

❶ COS 자격 검정 사이트(www.ybmit.com)에 접속 한 후 〈로그인〉 클릭합니다.

❷ 〈회원가입〉 클릭합니다.

❸ 〈모두 동의합니다.〉를 클릭합니다.

❹ 회원가입하고자 하는 수험생 아이디, 비밀번호, 비밀번호 재확인, 이름, 생년월일, 이메일, 휴대폰 입력합니다. 인증방법 중 휴대폰, 이메일 인증 중 한 가지를 선택한 후 인증을 진행합니다.

❺ 휴대폰으로 본인 인증 진행시 아래와 같은 대화상자가 표시됩니다. 〈확인〉을 클릭합니다.

❻ 휴대폰으로 전송된 인증번호를 입력 한 후 〈확인〉을 클릭하면 아래와 같은 〈확인〉 창이 표시됩니다.

❼ 회원 가입하는 수험생이 14세 미만 인 경우에는 아래와 같은 부모님(법정 대리인)의 동의가 필요합니다.

반드시 부모님(법정 대리인)의 이름으로 동의를 진행하여 주세요.

❽ 〈선택 안함〉 → 〈가입하기〉 클릭합니다.

❾ www.ybmit.com → 로그인 → 화면 위의 MY PAGE를 클릭합니다.

학생 명의의 휴대폰이 없는 경우에는 아이핀 인증을 진행하여야 하므로 아이핀 회원 가입 후 본인 인증 진행하여 주세요. 본인 인증은 반드시 14세 미만의 수험생 이름으로 진행하여 주세요.

❿ 학생 본인 인증이 진행 한 후에 부모님(법성 대리인) 인증 창이 뜨면 부모님(법정 대리인) 인증 진행하시면 회원 가입 완료됩니다.

2. 시험 접수하기

❶ COS 자격 검정 사이트(www.ybmit.com)에 접속 한 후 〈로그인〉 클릭합니다.

❷ 화면 중앙에 있는 〈COS〉 클릭합니다.

❸ 왼쪽 화면의 〈시험 접수〉 클릭합니다.

❹ 〈인터넷 접수하기〉 클릭합니다.

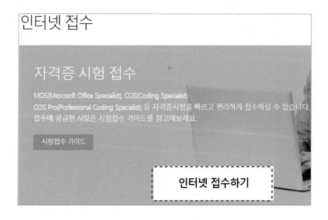

❺ 시험구분 : COS 선택, 응시구분 : 일반접수 선택, 과목 선택, 한글 선택, 시험 프로그램(Scratch, Entry) 선택, 센터 선택, 날짜 및 시간 선택 한 후 〈다음 단계〉를 클릭합니다.

❻ 성명, 생년월일, 이메일, 연락처, 주소를 확인 한 후 〈결제하기〉클릭 한 후 결제합니다.

3. 시험 수험표 출력하기

❶ COS 자격 검정 사이트(www.ybmit.com)에 접속 한 후 〈로그인〉 클릭합니다.

❷ 〈MY PAGE〉를 클릭합니다.

❸ 1번의 약도와 2번의 응시일자/시간을 확인 한 후 〈수험표출력〉를 클릭하여 수험표를 출력합니다.

4. 자격증 신청하기

❶ COS 자격 검정 사이트(www.ybmit.com)에 접속 한 후 〈로그인〉 클릭합니다.

❷ 〈MY PAGE〉를 클릭합니다.

❸ 왼쪽 화면에서 1번 이름을 확인합니다. 〈COS 성적 및 자격증 신청〉를 클릭
합니다.

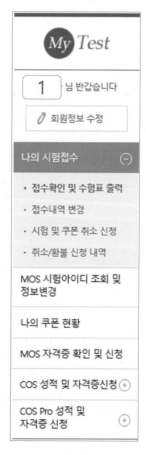

❹ 〈자격증 발급 신청〉를 클릭합니다. → 발급하고자 하는 자격증을 선택합니다. 〈선택한 자격증 발급 신청〉를 클릭합니다.

❺ 〈자격증 발급 신청〉에 표시된 개인 정보를 확인합니다.

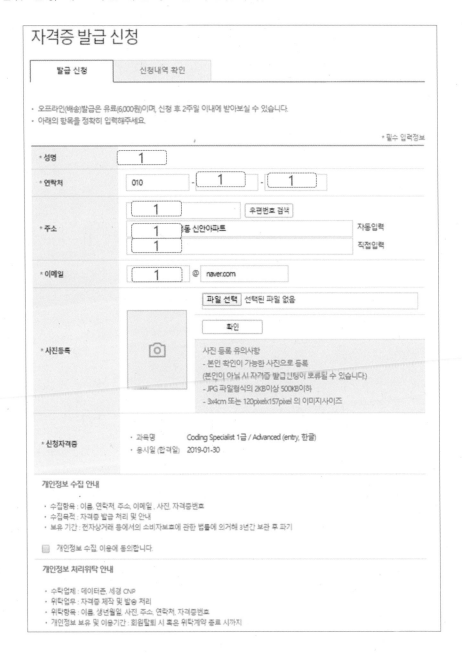

❻ 자격증 발급에 필요한 사진을 jpeg 형태로 준비하신 후 〈사진등록〉의 파일 선택을 한 후 〈확인〉을 클릭합니다.

❼ 〈개인정보 수집 안내의 개인정보 수집 이용에 동의합니다〉에 체크합니다.

❽ 자격증 발급 수수료(건당 6,000원) 결제합니다.

❾ 자격증 발급 소요 시간은 자격증 발급 신청일로부터 2~3 주후에 지정한 주소로 등기 우편으로 발송될 예정입니다.

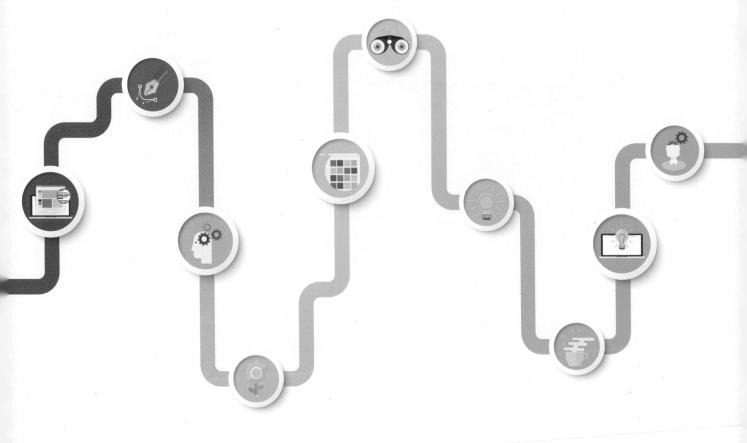

스크래치 시작하기

1.1 스크래치 화면 구성

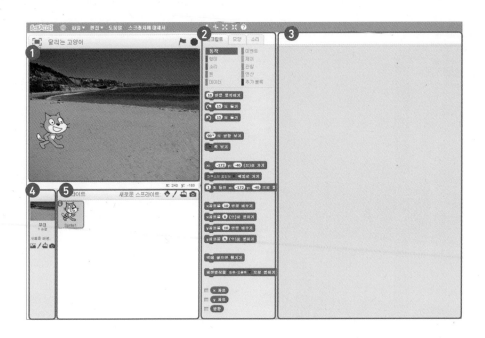

① 무대 영역 : 배경과 스프라이트로 무대를 꾸며주고, 사용자가 작업한 결과물을 볼 수 있습니다.

② 블록영역 : 스프라이트를 움직이게 하기 위한 블록이 있는 곳 입니다.

③ 스크립트영역 : 블록목록에서 사용할 블록들을 선택해서 스크립트 영역으로 가져와 조합하여 프로젝트를 진행하면서 다양한 블록들을 볼 수 있는 곳입니다.

④ 무대디자인 : 프로젝트의 배경이 될 무대를 직접 그리고 꾸밀 수 있는 공간입니다.

⑤ 스프라이트목록 : 무대 위에서 사용되는 스프라이트들이 모두 모여 있는 곳입니다.

1.2 스크래치 용어

■ 스테이지(무대, stage) : 스프라이트를 배치 작업하는 공간이며 스크래치가 실행 결과를 볼 수 있습니다.

■ 스프라이트(sprite) : 스크립트에 의해 움직이고 소리 낼 수 있는 그림, 글자, 도형 등으로 스크래치 프로그램에 등장하는 주인공 및 모든 객체를 의미하고, 가장 기본적으로 고양이 형태의 스프라이트가 화면에 등장합니다.

■ 스크립트(script) : 무대 위에 스프라이트를 어떻게 움직이게 할 것인지, 블록 형태의 명령어를 찾고 조립하고 실행하는 공간으로 블록의 조합으로 구성되어 있습니다.

■ 블록(block) : 프로그래밍 언어의 명령어 및 변수 등을 1:1로 매치시킨 프로그램 조각입니다.

■ 이벤트 : 프로그램에 의해 감지되고 처리될 수 있는 동작이나 사건을 의미 합니다.

1.3 스크래치 블록을 활용한 프로그래밍

| 동작 | 동작 블록의 형태 및 기능 이해 |

동작 팔레트는 스프라이트를 움직이고 지정한 위치로 이동하거나 회전시키는 블록들로 구성되어 있습니다.

명령 블록	설명
10 만큼 움직이기	현재 위치에서 현재 방향으로 입력된 값만큼 이동합니다.
30 도 돌기	현재 방향에서 입력된 값만큼 오른쪽으로 회전합니다.
30 도 돌기	현재 방향에서 입력된 값만큼 왼쪽으로 회전합니다.
90▼ 도 방향 보기	지정된 방향을 바라봅니다. (90 : 오른쪽, -90 : 왼쪽, 0 : 위, 180 : 아래쪽)
마우스 포인터 ▼ 쪽 보기	마우스 포인터나 지정된 스프라이트를 바라봅니다.
x: 0 y: 0 로 이동하기	입력된 x, y 값으로 스프라이트의 위치를 바꿉니다.
마우스 포인터 ▼ 위치로 이동하기	스프라이트의 위치를 마우스 포인터나 선택한 스프라이트의 위치로 이동합니다.
1 초 동안 x: 0 y: 0 으로 움직이기	현재 위치에서 입력된 시간 동안 입력된 x, y 위치로 이동합니다.
x좌표를 10 만큼 바꾸기	현재 위치에서 x 좌표 값에 입력된 값만큼 더해 위치를 이동합니다.
x좌표를 0 (으)로 정하기	현재 위치에서 x 좌표 값을 입력된 값으로 바꿉니다.
y좌표를 10 만큼 바꾸기	현재 위치에서 y 좌표 값에 입력된 값만큼 더해 위치를 이동합니다.
y좌표를 0 (으)로 정하기	현재 위치에서 y 좌표 값을 입력된 값으로 바꿉니다.
벽에 닿으면 튕기기	스프라이트가 벽에 닿으면 회전 방향을 반대 방향으로 바꿉니다.
회전방식을 왼쪽-오른쪽 ▼ 로 정하기	회전 방식을 지정합니다. 왼쪽-오른쪽 : 좌우 회전만 가능합니다. 회전하지 않기 : 회전을 할 수 없습니다. 회전하기 : 360도 원하는 방향으로 회전할 수 있습니다.
x좌표	현재 스프라이트의 x 좌표 값을 나타냅니다. 혼자서는 사용할 수 없고 다른 명령 블록의 인수로 사용합니다.
y좌표	현재 스프라이트의 y 좌표 값을 나타냅니다. 혼자서는 사용할 수 없고 다른 명령 블록의 인수로 사용합니다.
방향	현재 스프라이트의 이동 방향의 각도를 나타냅니다. 혼자서는 사용할 수 없고 다른 명령 블록의 인수로 사용합니다.

| 형태 | 형태 블록의 형태 및 기능 이해 |

형태 팔레트는 말풍선을 표시하거나 스프라이트와 배경의 모양을 수정하고, 말풍선 또는 생각 풍선 내에 문자를 표시하는 블록들로 구성되어 있습니다.

명령 블록	설명
Hello! 을(를) 2 초동안 말하기	□에 입력한 내용을 ○초 동안 말풍선으로 무대에 표시합니다.
Hello! 말하기	□에 입력한 내용을 말풍선으로 무대에 표시합니다.
Hmm... 을(를) 2 초동안 생각하기	□에 입력한 내용을 ○초 동안 말풍선으로 무대에 표시합니다.
Hmm... 생각하기	□에 입력한 내용을 말풍선으로 무대에 표시합니다.
보이기	스프라이트를 무대에 보입니다.
숨기기	스프라이트를 무대에서 보이지 않도록 숨깁니다.
모양을 모양2 ▼ (으)로 바꾸기	스프라이트의 모양을 지정된 모양으로 바꿉니다.
다음 모양으로 바꾸기	스프라이트의 모양을 다음 모양으로 바꿉니다.
배경을 배경1 ▼ (으)로 바꾸기	무대의 배경을 지정된 배경으로 바꿉니다.
색깔 ▼ 효과를 25 만큼 바꾸기	색깔, 어안 렌즈, 소용돌이, 픽셀화, 모자이크, 밝기, 반투명 등의 효과를 현재 지정된 효과에서 ○에 입력한 만큼 바꿉니다.
색깔 ▼ 효과를 0 (으)로 정하기	색깔, 어안 렌즈, 소용돌이, 픽셀화, 모자이크, 밝기, 반투명 등의 효과를 현재 지정된 효과에서 ○에 입력한 만큼 지정합니다.
그래픽 효과 지우기	지정된 그래픽 효과를 모두 지웁니다.
크기를 10 만큼 바꾸기	스프라이트의 크기를 현재 크기에서 ○에 입력한 만큼 바꿉니다.
크기를 100 % 로 정하기	스프라이트의 크기를 원본 크기에서 ○에 입력한 %로 바꿉니다.
맨 앞으로 순서 바꾸기	스프라이트가 겹쳐져 있을 경우 맨 앞으로 나옵니다.
1 번째로 물러나기	스프라이트가 겹쳐져 있을 경우 ○ 번째로 물러납니다.
모양 #	스프라이트 모양이 몇 번째인지를 의미합니다.
배경 이름	현재 무대에 표시되는 배경의 이름을 의미합니다.
크기	현재 스프라이트의 크기가 %인지를 의미합니다.

| 소리 | **소리 블록의 형태 및 기능 이해** |

소리 팔레트는 가져온 사운드 개체를 재생하거나 제어하는 블록들로 구성되어 있습니다.

명령 블록	설명
야옹 ▼ 재생하기	지정된 소리를 한 번 들려줍니다.
야옹 ▼ 끝까지 재생하기	지정된 소리의 재생이 모두 끝날 때까지 기다린 후 다음 스크립트 명령 블록을 실행합니다.
모든 소리 끄기	모든 소리를 끕니다.
1▼ 번 타악기를 0.25 박자로 연주하기	지정된 타악기를 지정된 박자로 연주합니다.
0.25 박자 쉬기	지정된 박자 동안 쉽니다.
60▼ 번 음을 0.5 박자로 연주하기	지정된 음을 지정된 박자로 연주합니다.
1▼ 번 악기로 정하기	연주할 악기를 지정합니다.
음량을 -10 만큼 바꾸기	음량을 현재 값에서 지정된 값만큼 바꿉니다.
음량을 100 % (으)로 정하기	음량을 지정된 % 값으로 바꿉니다.
음량	음량을 얼마인지 값으로 나타냅니다.
빠르기를 20 만큼 바꾸기	빠르기를 현재 값에서 지정된 값만큼 바꿉니다.
빠르기를 60 bpm 으로 정하기	빠르기를 지정된 BPM 값으로 바꿉니다.
박자	빠르기를 얼마인지 값으로 나타냅니다.

펜　펜 블록의 형태 및 기능 이해

펜 팔레트는 배경에 선을 그리거나 스프라이트를 복제하는 블록들로 구성되어 있습니다.

명령 블록	설명
지우기	펜으로 그린 그림을 지웁니다.
도장찍기	펜으로 그린 그림을 도장 찍듯 복사합니다.
펜 내리기	펜으로 그림을 그리기 위해 펜을 내립니다.
펜 올리기	그림 그리기를 잠시 멈추기 위해 펜을 올립니다.
펜 색깔을 ▨ (으)로 정하기	펜 색상을 바꿉니다.
펜 색깔을 10 만큼 바꾸기	펜 색깔을 지정된 값만큼 바꿉니다.
펜 색깔을 0 (으)로 정하기	펜 색깔을 지정된 숫자 값으로 정합니다.
펜 명암을 10 만큼 바꾸기	펜 음영을 지정된 값으로 바꿉니다.
펜 명암을 50 (으)로 정하기	펜 음영을 지정된 숫자 값으로 정합니다.
펜 굵기를 1 만큼 바꾸기	펜 굵기를 지정된 값만큼 바꿉니다.
펜 굵기를 1 (으)로 정하기	펜 굵기를 지정된 값으로 바꿉니다.

| 데이터 | 데이터 블록의 형태 및 기능 이해 |

변수 블록 사용 방법은 프로그래밍 하는 과정에서 데이터를 임시로 저장할 공간을 마련하기 위한 블록의 모임으로 블록을 사용하기 위해서는 변수 만들기와 리스트 만들기가 선행되어야 합니다. 특정한 조건에 해당할 때 스크립트를 실행하는 블록들로 구성되어 있습니다.

명령 블록	설명
변수 만들기	새로운 변수를 만듭니다.
변수	변수의 값을 보고합니다.
정수 을(를) 0 로 정하기	변수의 값을 지정된 값으로 바꿉니다.
정수 을(를) 1 만큼 바꾸기	변수의 값을 현재 값에서 지정된 값만큼 더해서 정합니다.
정수 변수 보이기	변수를 화면에 표시합니다.
정수 변수 숨기기	변수를 화면에서 숨깁니다.
리스트 만들기	새로운 리스트를 만듭니다.
thing 항목을 여행 가고 싶은 곳 에 추가하기	지정된 리스트에 새로운 값을 추가합니다.
1 번째 항목을 여행 가고 싶은 곳 에서 삭제하기	리스트에서 특정 위치의 항목을 삭제합니다.
thing 을(를) 1 번째 여행 가고 싶은 곳 에 넣기	리스트에서 지정된 위치에 새로운 값을 추가합니다.
1 번째 여행 가고 싶은 곳 의 항목을 thing (으)로 바꾸기	리스트에서 지정된 위치의 값을 바꿉니다.
1 번째 여행 가고 싶은 곳 항목	리스트에서 지정된 위치의 값을 보고합니다.
여행 가고 싶은 곳 리스트의 항목 수	리스트의 크기를 보고합니다.
여행 가고 싶은 곳 리스트에 thing 포함되었는가?	리스트에 지정된 값이 포함되어 있는지 보고합니다.
여행 가고 싶은 곳 리스트 보이기	리스트를 화면에 표시합니다.
여행 가고 싶은 곳 리스트 숨기기	리스트를 화면에서 숨깁니다.

이벤트　　　이벤트 블록의 형태 및 기능 이해

스크래치에서 어떤 사건이 발생되었을 때, 명령이 실행되도록 하는 것이 이벤트입니다. 사용자가 [깃발을 클릭 했을 때], [~키를 눌렀을 때], [이 스프라이트가 클릭될 때] 등이 스크래치 프로그래밍에서 이벤트라고 합니다.

명령 블록	설명
클릭했을 때	▶을 클릭할 때 스크립트를 실행합니다.
스페이스 ▼ 키를 눌렀을 때	키보드에서 지정된 키를 눌렀을 때 스크립트를 실행합니다.
이 스프라이트가 클릭될 때	이 스프라이트를 마우스로 클릭했을 때 스크립트를 실행합니다.
배경이 배경1 ▼ (으)로 바뀌었을 때	지정된 배경으로 바뀌었을 때 스크립트를 실행합니다.
음량 ▼ > 10 일 때	음량, 타이머, 비디오 동작 등이 지정된 값보다 클 때 스크립트를 실행합니다.
메시지1 ▼ 을(를) 받았을 때	지정된 메시지를 수신했을 때 스크립트를 실행합니다.
메시지1 ▼ 방송하기	모든 스프라이트에 지정된 메시지를 방송합니다.
메시지1 ▼ 방송하고 기다리기	모든 스프라이트에 지정된 메시지를 보내고 끝나기를 기다립니다.

제어　　제어 블록의 형태 및 기능 이해

프로그램이 동작하는 흐름을 제어하는 것을 의미합니다.

이 블록들은 스프라이트가 계속 움직이게 만들고, 움직이는 스프라이트를 멈추게 하고, 스프라이트와 스프라이트가 부딪쳤을 때 스프라이트를 움직이게 하는 등의 동작하는 흐름을 제어합니다. 즉, 반복적인 작업을 시키거나, 조건에 따라 다른 작업을 하도록 하는 것을 제어라고 할 수 있습니다.

명령 블록	설명
1 초 기다리기	지정된 시간동안 기다렸다가 다음 명령 블록을 실행합니다.
10 번 반복하기	지정된 횟수만큼만 반복합니다.
무한 반복하기	끝나지 않고 계속해서 반복한다. 이후 다른 명령 블록을 연결할 수 없습니다.
만약 (이)라면	만약 〈조건〉이 맞으면 '만약 라면'에 포함된 블록을 실행합니다.
만약 (이)라면 아니면	만약 〈조건〉이 맞으면 '만약 라면'에 있는 블록을 실행하고 조건이 거짓인 경우에는 '아니면'에 있는 블록을 실행합니다.
까지 기다리기	〈조건〉을 만족할 때까지 기다립니다.
까지 반복하기	〈조건〉을 만족할 때까지 반복합니다.
모두 ▼ 멈추기	모든 스프라이트와 스크립트를 멈춥니다. 이후 다른 명령 블록을 연결할 수 없습니다.
복제되었을 때	지정된 스프라이트가 복제되었을 때 무엇을 할 것인지 작성합니다.
나 자신 ▼ 복제하기	지정된 스프라이트를 복제합니다.
이 복제본 삭제하기	복제된 스프라이트를 삭제합니다. 이후 다른 명령 블록을 연결할 수 없습니다.

관찰   **관찰 블록의 형태 및 기능 이해**

관찰 팔레트는 스프라이트의 위치나 상황을 판단하는 블록들로 구성되어 있습니다.

명령 블록	설명
마우스 포인터 ▼ 에 닿았는가?	마우스포인터, 벽, 스프라이트 등에 닿았는지 확인합니다.
■ 색에 닿았는가?	스프라이트가 지정된 색에 닿았는지 확인합니다.
■ 색이 ■ 색에 닿았는가?	첫 번째 색이 두 번째 색상에 닿았는지 확인합니다.
마우스 포인터 ▼ 까지 거리	지정된 스프라이트나 마우스 포인터까지의 거리를 확인합니다.
What's your name? 묻고 기다리기	화면에 질문을 한 후 키보드 입력을 기다립니다.
대답	가장 최근에 키보드로 입력한 내용을 확인합니다.
스페이스 ▼ 키를 눌렀는가?	키보드에서 어떤 키를 눌렀는지 확인합니다.
마우스를 클릭했는가?	마우스를 클릭했는지 확인합니다.
마우스의 x좌표	마우스의 x 좌표를 확인합니다.
마우스의 y좌표	마우스의 y 좌표를 확인합니다.
음량	현재 음량을 확인합니다.
비디오 동작 ▼ 에 대한 이 스프라이트 ▼ 에서의 관찰값	지정된 스프라이트에 비디오 모션의 양이 얼마나 되는지 확인하는데 사용합니다.
비디오 켜기 ▼	비디오 카메라를 켜거나 끕니다.
비디오 투명도를 50 % 로 정하기	비디오 카메라의 투명도를 지정합니다.
타이머	타이머의 값을 알려줍니다.
타이머 초기화	타이머를 초기화합니다.
x좌표 ▼ of Sprite1 ▼	지정된 스프라이트의 x 좌표나 y 좌표 값을 확인합니다.
현재 분 ▼	현재 년, 월, 일, 요일, 시, 분, 초 등을 확인합니다.
2000년 이후 현재까지 날짜수	2000년 이후의 일수를 확인합니다.
사용자이름	사용자 이름을 확인합니다.

| 연산 | 연산 블록의 형태 및 기능 이해 |

연산은 계산을 의미합니다. 단순한 연산부터 복잡한 공식까지 다양한 연산을 스크래치를 통해서 할 수 있습니다.

산술 연산을 수행하고 난수를 생성하고, 관계를 결정하기 위해 값을 비교할 수 있는 블록입니다.

명령 블록	설명
◯ + ◯	첫 번째 값에 두 번째 값을 더한 값입니다.
◯ - ◯	첫 번째 값에서 두 번째 값을 뺀 값입니다.
◯ * ◯	첫 번째 값과 두 번째 값을 곱한 값입니다.
◯ / ◯	첫 번째 값을 두 번째 값으로 나눈 값입니다.
1 부터 10 사이의 난수	첫 번째 값부터 두 번째 값 사이에서 임의의 수를 만듭니다.
◻ < ◻	첫 번째 값이 두 번째 값보다 작으면 '참'이 되고 그렇지 않으면 '거짓'이 됩니다.
◻ = ◻	첫 번째 값과 두 번째 값이 같은지 판단하여 같으면 '참', 다르면 '거짓'이 됩니다.
◻ > ◻	첫 번째 값이 두 번째 값보다 크면 '참'이 되고 그렇지 않으면 '거짓'이 됩니다.
그리고	첫 번째 값과 두 번째 값이 모두 '참'이면 '참'이 되고, 하나라도 '거짓'이면 '거짓'이 됩니다.
또는	첫 번째 값이나 두 번째 값 중 하나라도 '참'이면 '참'이 되고 둘 다 거짓이면 '거짓'이 됩니다.
가(이) 아니다	입력된 값이 '참'이면 거짓을, '거짓'이면 참이 됩니다.
hello 와 world 결합하기	첫 번째 값과 두 번째 값을 결합합니다.
1 번째 글자 (world)	두 번째 값에 입력된 문자 중 첫 번째 값에 입력된 위치의 문자를 알려줍니다.
world 의 길이	입력된 내용이 몇 글자인지 알려줍니다.
◯ 나누기 ◯ 의 나머지	첫 번째(앞) 값을 두 번째(뒤) 값으로 나눈 나머지를 알려줍니다.
◯ 반올림	입력된 값을 반올림합니다.
제곱근 ▾ (9)	입력된 값의 수학 함수(절대값, 바닥 함수, 천장 함수, 제곱근, sin, cos, tan, asin 등)에 해당하는 결과 값을 알려줍니다.

추가 블록   **추가 블록의 형태 및 기능 이해**

추가 블록은 기본 블록들을 결합해서 특정한 기능을 지닌 새로운 블록을 정의합니다.

명령 블록	설명
정의하기 블록	새로운 명령 블록을 정의합니다.

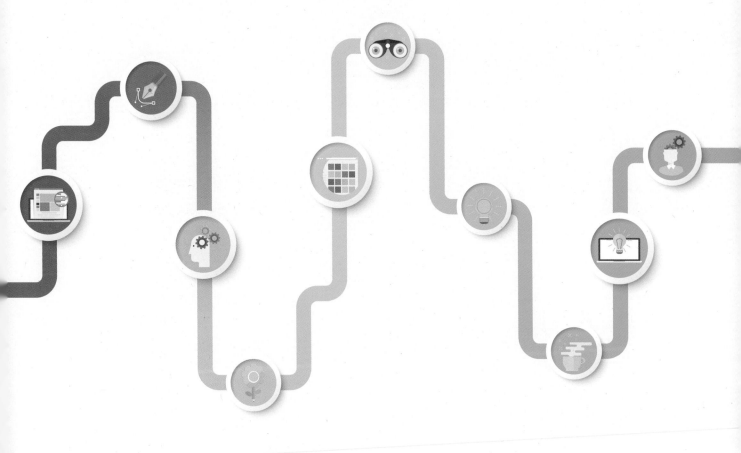

기출유형 파악하기

01

UI 요구사항 구현

기출유형파악하기01

[예제파일 : 기출유형파악하기01문제.sb2]   [정답파일 : 기출유형파악하기01정답.sb2]

YBM Coding Specialist

설명
서로 다른 색상의 찰흙을 섞어 새로운 색을 만드는 프로그램입니다.

동작과정
1. 🚩 클릭하면
   → 무대에 청록색 찰흙, 노랑색 찰흙, 자홍색 찰흙이 보입니다.
   → 마우스로 첫 번째 찰흙을 선택하면 무대 아래에 해당 색이 보입니다.
   → 두 가지 이상의 찰흙을 선택하면 무대 아래에 혼합된 색이 보입니다.
2. 프로그램 종료하기

변수설명

▶ **노랑**
   노란색을 저장하고 있는 변수입니다.
▶ **자홍**
   자홍색을 저장하고 있는 변수입니다.
▶ **청록**
   청록색을 저장하고 있는 변수입니다.

코딩 스프라이트	찰흙

지시사항

▶ 🚩 클릭했을 때
1) 다음 지시사항을 순서대로 실행하는 스크립트를 작성하시오.
   ① 모양을 **찰흙_청록**으로 바꾸기 하시오.
   ② x: '-140', y: '60'으로 이동하기 하시오.   ③ 복제 추가블록을 실행하시오.

▶ **복제** 추가블록
1) 다음 지시사항을 순서대로 '2'번 반복하는 스크립트를 작성하시오.
   ① 나 자신 복제하기 하시오.   ② x좌표를 '120'만큼 바꾸기 하시오.
   ③ 다음 모양으로 바꾸기 하시오.

유의사항

지시사항에서 설명한 블록만 이용하시오.
그렇지 않은 경우 채점되지 않습니다.
지시사항 이외의 블록을 변경하였을 경우 **"다시풀기"** 버튼을 눌러서 초기화 후 문제를 푸시기 바랍니다.

⚙️ 풀이과정

스프라이트 : **찰흙**

예제 블록	정답 블록
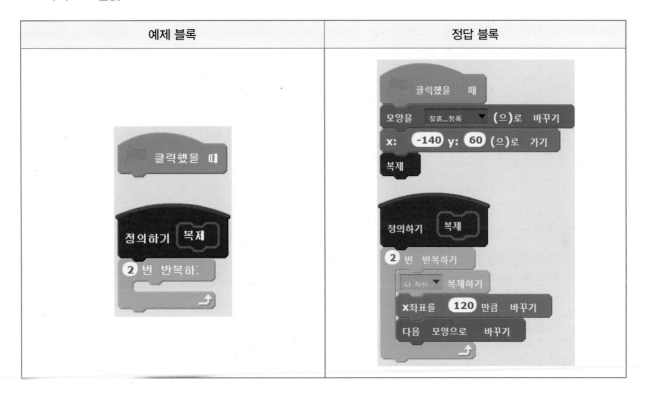	

1. 🏴 클릭했을 때 아래에 아래와 같이 조립합니다.

2. [형태] 팔레트의 `모양을 찰흙_첫록 ▼ (으)로 바꾸기` 블록을 `클릭했을 때` 아래로 드래그 합니다.

3. [동작] 팔레트의 `x: 0 y: 0 (으)로 가기` 블록을 `모양을 찰흙_첫록 ▼ (으)로 바꾸기` 아래로 드래그 합니다. x: −140, y: 60으로 숫자를 입력합니다.

4. [추가블록] 팔레트의 `복제` 블록을 `x: -140 y: 60 (으)로 가기` 아래로 드래그 합니다.

5. 🏴 클릭하여 프로젝트를 실행합니다.

6. 복제 추가블록 아래에 [제어] 팔레트의 `10 번 반복하기`를 드래그 합니다. 10번을 2로 수정합니다.

7. `2 번 반복하기` 안에 [제어] 팔레트의 `나 자신 ▼ 복제하기` 드래그 합니다. [동작] 팔레트의 `x좌표를 10 만큼 바꾸기`를 드래그한 후 숫자를 120으로 수정합니다. [형태] 팔레트의 `다음 모양으로 바꾸기`를 드래그 합니다.

🔍 **TIP**   블록에서 흰색 바탕에 0으로 표시된 모든 블록은 수험생이 직접 숫자를 입력하여 수정하여야 합니다.

기출유형파악하기01-연습01

[예제파일 : 기출유형파악하기01-연습01 문제.sb2]   [정답파일 : 기출유형파악하기01-연습01 정답.sb2]

YBM Coding Specialist

설명

녹색 깃발을 클릭하면 2초 후에 곰돌이가 모자이크 처리됩니다. 모자이크 처리된 곰돌이 위로 돋보기를 위치시키면 곰돌이가 선명하게 보이는 프로그램입니다.

동작과정

1. 🚩 클릭하면
   → 무대에 모자이크 처리된 곰돌이와 돋보기가 보입니다.
   → 모자이크 처리된 곰돌이 위로 돋보기를 위치시키면 곰돌이가 선명하게 보입니다.
2. 프로그램 종료하기

코딩 스프라이트	돋보기

지시사항

▶ 🚩 클릭했을 때
1) 다음 지시사항을 순서대로 작성하시오.
   ① 스프라이트를 좌표위치 x: '**114**', y: '**-68**'로 이동하기 하시오.
   ② 스프라이트의 크기를 '**60**'%로 정하기 하시오.

유의사항

지시사항에서 설명한 블록만 이용하시오.
그렇지 않은 경우 채점되지 않습니다.
지시사항 이외의 블록을 변경하였을 경우 "**다시풀기**" 버튼을 눌러서 초기화 후 문제를 푸시기 바랍니다.

코딩 스프라이트	곰돌이

지시사항

▶ 🚩 클릭했을 때
1) 다음 지시사항을 순서대로 무한 반복하는 스크립트를 작성하시오.
   ① **곰돌이** 스프라이트가 **돋보기** 스프라이트에 닿으면 **픽셀화** 효과를 '**0**'으로 정하기 하시오.
   ② 그렇지 않으면 **픽셀화** 효과를 '**50**'으로 정하기 하시오.

유의사항

지시사항에서 설명한 블록만 이용하시오.
그렇지 않은 경우 채점되지 않습니다.
지시사항 이외의 블록을 변경하였을 경우 "**다시풀기**" 버튼을 눌러서 초기화 후 문제를 푸시기 바랍니다.

기출유형파악하기01-연습02

[예제파일 : 기출유형파악하기01-연습02 문제.sb2]   [정답파일 : 기출유형파악하기01-연습02 정답.sb2]

YBM Coding Specialist

설명

서로 다른 세 가지 색상의 조명빛이 비춰질 때 혼합된 조명색을 알아보는 프로그램입니다.

동작과정

1. 🏳 클릭하면
   → 무대에 빨간색, 노란색, 파란색 조명 빛이 보입니다.
2. 조명빛을 클릭하면 해당 색상이 무대에 보입니다.
   → 2가지 이상의 조명빛이 비춰지면 색이 바뀝니다.
      ▶ 노랑 + 빨강 = 주황   ▶ 노랑 + 파랑 = 초록
      ▶ 빨강 + 파랑 = 보라   ▶ 노랑 + 빨강 + 파랑 = 검정
3. 프로그램 종료하기

변수설명

▶ **노랑**
노란색을 저장하고 있는 변수입니다.
▶ **빨강**
빨간색을 저장하고 있는 변수입니다.
▶ **파랑**
파란을 저장하고 있는 변수입니다.

코딩 스프라이트	조명빛

지시사항

▶ 🏳 클릭했을 때
1) 다음 지시사항을 순서대로 실행하는 스크립트를 작성하시오.
   ① 모양을 **조명빛_빨강**으로 바꾸기 하시오.
   ② 스프라이트를 좌표위치 x: '–130', y: '80'으로 이동하기 하시오.
   ③ **복제** 추가블록을 실행하시오.

▶ **복제** 추가블록
1) 다음 지시사항을 순서대로 '2'번 반복하는 스크립트를 작성하시오.
   ① 나 자신 복제하기 하시오.
   ② 스프라이트의 x좌표를 '120' 만큼 바꾸기 하시오.
   ③ 스프라이트를 다음 모양으로 바꾸기 하시오.

유의사항

지시사항에서 설명한 블록만 이용하시오.
그렇지 않은 경우 채점되지 않습니다.
지시사항 이외의 블록을 변경하였을 경우 **"다시풀기"** 버튼을 눌러서 초기화 후 문제를 푸시기 바랍니다.

기출유형파악하기01-연습03

[예제파일 : 기출유형파악하기01-연습03 문제.sb2]   [정답파일 : 기출유형파악하기01-연습03 정답.sb2]

설명
작은 개미 위로 돋보기를 위치시키면 개미의 크기가 커보이게 하는 프로그램입니다.

동작과정
1. 🚩 클릭하면
   → 무대에 작은 개미와 돋보기가 보입니다.
   → 작은 개미 위로 돋보기를 위치시키면 개미가 크게 보입니다.
2. 프로그램 종료하기

코딩 스프라이트	돋보기

지시사항

▶ 🚩 *클릭했을 때*
1) 다음 지시사항을 순서대로 작성하시오.
   ① 스프라이트를 보이게 하시오.
   ② 스프라이트를 좌표위치 x: '114', y: '−68'로 이동하기 하시오.
   ③ 스프라이트의 크기를 '60'%로 정하기 하시오.

유의사항

지시사항에서 설명한 블록만 이용하시오.
그렇지 않은 경우 채점되지 않습니다.
지시사항 이외의 블록을 변경하였을 경우 **"다시풀기"** 버튼을 눌러서 초기화 후 문제를 푸시기 바랍니다.

코딩 스프라이트	개미

지시사항

▶ 🚩 *클릭했을 때*
1) 다음 지시사항을 순서대로 무한 반복하는 스크립트를 작성하시오.
   ① 만약 **돋보기**에 닿았는가? 라면 스프라이트 크기를 '100'%로 정하기 하시오.
   ② 그렇지 않으면 스프라이트의 크기를 '20'%로 정하기 하시오.

유의사항

지시사항에서 설명한 블록만 이용하시오.
그렇지 않은 경우 채점되지 않습니다.
지시사항 이외의 블록을 변경하였을 경우 **"다시풀기"** 버튼을 눌러서 초기화 후 문제를 푸시기 바랍니다.

기출유형파악하기02

[예제파일 : 기출유형파악하기02 문제.sb2]　　　　　　　　　[정답파일 : 기출유형파악하기02 정답.sb2]

YBM Coding Specialist

설명

채집막대로 뱀을 잡는 프로그램입니다.

동작과정

1. 🏳 클릭하면
   → 뱀이 풀밭을 돌아다닙니다.
   → 마우스를 이용하여 채집 막대로 돌아다니는 뱀을 잡습니다.
2. 프로그램 종료하기

코딩 스프라이트	채집막대

지시사항

▶ 🏳 클릭했을 때
1) 다음 지시사항을 순서대로 무한반복하는 스크립트를 작성하시오.
   ① 맨 앞으로 순서 바꾸기 하시오.
   ② 마우스 포인터 위치로 이동하기 하시오.
   ③ **채집** 추가블록을 실행하시오.

▶ 이 스프라이트를 클릭했을 때
1) 다음 지시사항을 순서대로 실행하는 스크립트를 작성하시오.
   ① 다음 지시사항을 '5'번 반복하기 하시오.
      – 왼쪽 방향으로 '15'도 돌기 하시오.
   ② '90'도 방향 보기 하시오.

유의사항

지시사항에서 설명한 블록만 수정하시오.
그렇지 않은 경우 채점되지 않습니다.
지시사항 이외의 블록을 변경하였을 경우 **"다시풀기"** 버튼을 눌러서 초기화 후 문제를 푸시기 바랍니다.

🔧 풀이과정

스프라이트 : **채집막대**

예제 블록	정답 블록
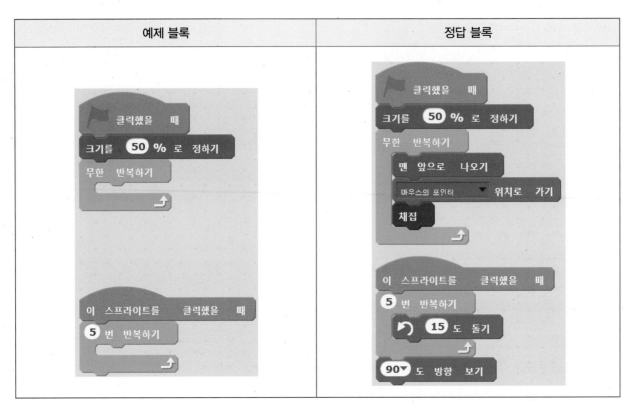	

1. ⚑ 클릭했을 때 아래에 아래와 같이 조립합니다.

2. [형태] 팔레트의 맨 앞으로 나오기 블록을 무한 반복하기 아래로 드래그 합니다.

3. [동작] 팔레트의 마우스의 포인터 ▼ 위치로 가기 블록을 맨 앞으로 나오기 아래로 드래그 합니다.

4. [추가블록] 팔레트의 채집 블록을 마우스의 포인터 ▼ 위치로 가기 아래로 드래그 합니다.

5. 5번 반복하기 안에 [동작] 팔레트의 ↻ 15 도 돌기 를 드래그합니다.

6. 5번 반복하기 밖에 [동작] 팔레트의 90▼ 도 방향 보기 를 드래그합니다.

7. ⚑ 클릭하여 프로젝트를 실행합니다.

기출유형파악하기02-연습01

[예제파일 : 기출유형파악하기02-연습01 문제.sb2]   [정답파일 : 기출유형파악하기02-연습01 정답.sb2]

YBM Coding Specialist

설명

원숭이가 돌아다니면서 바나나를 먹는 프로그램입니다.

동작과정

1. 📕 클릭하면
   → 원숭이와 바나나가 보입니다.
2. 키보드 방향키(↓,↑,←,→)를 이용하여 원숭이를 위, 아래, 왼쪽, 오른쪽으로 움직입니다.
   → 스페이스 키를 누르면 원숭이에 닿은 바나나가 사라집니다.
3. 프로그램 종료하기

코딩 스프라이트	바나나

지시사항

▶ 📕 클릭했을 때
1) 다음 지시사항을 순서대로 '**10**'번 반복하는 스크립트를 작성하시오.
   ① 스프라이트를 좌표위치 x: '**-220**'부터 '**200**' 사이의 난수, y: '**-160**'부터 '**-34**' 사이의 난수 이동하기
      하시오.
   ② 나 자신 복제하기 하시오.

유의사항

지시사항에서 설명한 블록만 이용하시오.

그렇지 않은 경우 채점되지 않습니다.

지시사항 이외의 블록을 변경하였을 경우 "**다시풀기**" 버튼을 눌러서 초기화 후 문제를 푸시기 바랍니다.

코딩 스프라이트	원숭이

지시사항

▶ **이동** 추가블록
1) 다음 지시사항을 순서대로 실행하는 스크립트를 작성하시오.
   ① 스프라이트를 '**10**'만큼 움직이기 하시오.
   ② 스프라이트를 다음 모양으로 바꾸기 하시오.

유의사항

지시사항에서 설명한 블록만 이용하시오.

그렇지 않은 경우 채점되지 않습니다.

지시사항 이외의 블록을 변경하였을 경우 "**다시풀기**" 버튼을 눌러서 초기화 후 문제를 푸시기 바랍니다.

기출유형파악하기02-연습02

[예제파일 : 기출유형파악하기02-연습02 문제.sb2]   [정답파일 : 기출유형파악하기02-연습02 정답.sb2]

YBM Coding Specialist

설명

꽃게를 잡는 프로그램입니다.

동작과정

1. 🏁 클릭하면
   → 꽃게와 바구니가 보입니다.
   → 꽃게를 드래그하여 바구니에 넣습니다.
2. 프로그램 종료하기

코딩 스프라이트	꽃게

지시사항

▶ 🏁 클릭했을 때
1) 다음 지시사항을 순서대로 무한반복 스크립트를 작성하시오.
   ① 만약 **바구니** 스프라이트에 닿으면 다음 지시사항을 순서대로 실행하는 스크립트를 작성하시오.
      – 나 자신 복제하기 하시오.
      – 스프라이트를 좌표위치 x: '**-50**'부터 '**50**' 사이의 난수, y: '**-150**'으로 이동하기 하시오.

유의사항

지시사항에서 설명한 블록만 이용하시오.
그렇지 않은 경우 채점되지 않습니다.
지시사항 이외의 블록을 변경하였을 경우 "**다시풀기**" 버튼을 눌러서 초기화 후 문제를 푸시기 바랍니다.

코딩 스프라이트	바구니

지시사항

▶ 🏁 클릭했을 때
1) 다음 지시사항을 순서대로 실행하는 스크립트를 작성하시오.
   ① 스프라이트를 좌표위치 x: '**172**', y: '**-130**'으로 이동하기 하시오.
   ② 스프라이트를 '**2**'번째로 물러나기 하시오.
   ③ 스프라이트의 크기를 '**60**'%로 정하기 하시오.

유의사항

지시사항에서 설명한 블록만 이용하시오.
그렇지 않은 경우 채점되지 않습니다.
지시사항 이외의 블록을 변경하였을 경우 "**다시풀기**" 버튼을 눌러서 초기화 후 문제를 푸시기 바랍니다.

기출유형파악하기02-연습03

[예제파일 : 기출유형파악하기02-연습03 문제.sb2]　　　　　[정답파일 : 기출유형파악하기02-연습03 정답.sb2]

Coding Specialist

설명

꽃밭에 날아다니는 사슴벌레를 채집망으로 잡는 프로그램입니다.

동작과정

1. ⚑ 클릭하면
   → 사슴벌레가 풀밭을 돌아 다닙니다.
   → 마우스를 이용하여 채집망으로 돌아다니는 사슴벌레를 잡습니다.
2. 프로그램 종료하기

코딩 스프라이트	채집망

지시사항

▶ ⚑ 클릭했을 때
1) 다음 지시사항을 순서대로 무한 반복하는 스크립트를 작성하시오.
   ① 맨 앞으로 순서 바꾸기 하시오.
   ② 마우스 포인터 위치로 이동하기 하시오.
   ③ **채집** 방송하기 하시오.

▶ 이 스프라이트를 클릭했을 때
1) 다음 지시사항을 순서대로 실행하는 스크립트를 작성하시오.
   ① 다음 지시사항을 '5'번 반복하기 하시오.
      – 스프라이트를 왼쪽 방향으로 '15'도 돌기 하시오.
   ② 스프라이트를 '90'도 방향 보기 하시오.

유의사항

지시사항에서 설명한 블록만 이용하시오.
그렇지 않은 경우 채점되지 않습니다.
지시사항 이외의 블록을 변경하였을 경우 **"다시풀기"** 버튼을 눌러서 초기화 후 문제를 푸시기 바랍니다.

SECTION

02

프로그램 구현

기출유형파악하기03

[예제파일 : 기출유형파악하기03문제.sb2]　　　　　　　　　　　　[정답파일 : 기출유형파악하기03정답.sb2]

YBM Coding Specialist

설명
카드의 그림이 순서대로 바뀌는 프로그램입니다.

동작과정
1. 🚩 클릭하면
   → 카드의 그림이 순서대로 바뀝니다.
2. 스페이스 키를 누릅니다.
   → 선택한 카드의 그림이 확대되어 보입니다.
3. 프로그램 종료하기

코딩 스프라이트	카드

지시사항

▶ **스페이스** 키를 눌렀을 때
1) 다음 지시사항을 순서대로 실행하는 스크립트를 작성하시오.
   ① 크기를 '100'%로 정하기 하시오.
   ② **색깔** 효과를 '50'으로 정하기 하시오.
   ③ 스프라이트에 있는 다른 스크립트를 멈추기 하시오.

▶ **바꾸기** 메시지를 받았을 때
1) 다음 지시사항을 순서대로 무한 반복하는 스크립트를 작성하시오.
   ① 다음 모양으로 바꾸기 하시오.
   ② '0.1'초 기다리기 하시오.

유의사항

보기블록 스프라이트에 주어진 블록만 이용하시오.
그렇지 않은 경우 채점되지 않습니다.
지시사항 이외의 블록을 변경하였을 경우 **"다시풀기"** 버튼을 눌러서 초기화 후 문제를 푸시기 바랍니다.

⚙️ 풀이과정

스프라이트 : **카드**

문제 보기블록	문제 그림	정답 보기블록
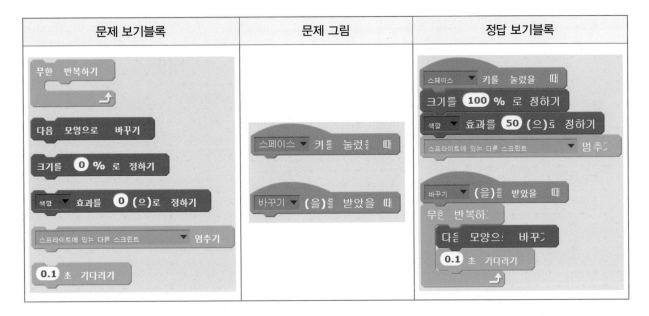		

1. 보기블록 스프라이트를 클릭합니다.

2. 보기블록 에서 아래와 같이 블록을 조립합니다.

3. 조립한 블록을 카드 스프라이트로 드래그 하여 보기블록에 주어진 블록을 복사합니다. 지시사항대로 숫자를 입력합니다.

4. 보기블록 에서 아래와 같이 블록을 조립합니다.

5. 조립한 블록을 카드 스프라이트로 드래그 하여 보기블록에 주어진 블록을 복사합니다.

6. 🚩 클릭하여 프로젝트를 실행합니다.

🔍 **TIP** 　보기블록 문제시 블록 복사하는 가장 정확한 방법은 보기블록에 주어진 블록을 드래그하면서 흰색 마우스 포인터가 정확히 복사하고자 하는 스프라이트의 안에 드래그합니다.

만일, 드래그 하는 도중에 블록영역 창으로 드래그하게 되면 보기블록의 블록이 사라지게 됩니다. 블록이 사라지게 되면 다시풀기 버튼을 클릭하여 문제를 초기화 한 후 문제 풀기를 시작합니다.

기출유형파악하기03-연습01

[예제파일 : 기출유형파악하기03-연습01 문제.sb2]   [정답파일 : 기출유형파악하기03-연습01 정답.sb2]

YBM Coding Specialist

설명

알파벳 'A'부터 'E'까지 순서대로 바뀌는 프로그램입니다.

동작과정

1. 🏳 클릭하면
   → 'A'부터 'E'까지 순서대로 바뀝니다.
   → 스페이스 키를 누르면 문자의 크기가 커지고 색깔이 바뀝니다.
2. 프로그램 종료하기

코딩 스프라이트	알파벳

지시사항

▶ 🏳 클릭했을 때
1) 다음 지시사항을 순서대로 작성하시오.
   ① 스프라이트의 크기를 '**55**'%로 정하기 하시오.
   ② **색깔** 효과를 '**0**'으로 정하기 하시오.
   ③ 스프라이트의 모양을 A 로 바꾸기 하시오.
   ④ **바꾸기** 메시지를 방송하기 하시오.

▶ **스페이스** 키를 눌렀을 때
1) 다음 지시사항을 순서대로 작성하시오.
   ① 스프라이트의 크기를 '**70**'%로 정하기 하시오.
   ② **색깔** 효과를 '**−20**'만큼 바꾸기 하시오.
   ③ 스프라이트에 있는 다른 스크립트 멈추기 하시오.

유의사항

지시사항에서 설명한 블록만 이용하시오.
그렇지 않은 경우 채점되지 않습니다.
지시사항 이외의 블록을 변경하였을 경우 "**다시풀기**" 버튼을 눌러서 초기화 후 문제를 푸시기 바랍니다.

기출유형파악하기03-연습02

[예제파일 : 기출유형파악하기03-연습02 문제.sb2]   [정답파일 : 기출유형파악하기03-연습02 정답.sb2]

YBM Coding Specialist

설명

숫자 '0'부터 '9'까지 순서대로 바뀌는 프로그램입니다.

동작과정

1. ⚑ 클릭하면
   → '0'부터 '9'까지 0.03초 후에 순서대로 바뀝니다.
   → 스페이스 키를 누르면 숫자의 크기가 커지고 색깔이 바뀝니다.
2. 프로그램 종료하기

코딩 스프라이트	숫자

지시사항

▶ **스페이스** 키를 눌렀을 때
1) 다음 지시사항을 순시대로 실행하는 스크립트를 작성하시오.
   ① 스프라이트의 크기를 '**200**'%로 정하기 하시오.
   ② **색깔** 효과를 '**70**'(으)로 정하기 하시오.
   ③ 스프라이트에 있는 다른 스크립트 멈추기 하시오.

▶ **바꾸기** 메시지를 받았을 때
1) 다음 지시사항을 순서대로 무한 반복하는 스크립트를 작성하시오.
   ① 스프라이트를 다음 모양으로 바꾸기 하시오.
   ② '**0.03**'초 기다리기 하시오.

유의사항

지시사항에서 설명한 블록만 이용하시오.
그렇지 않은 경우 채점되지 않습니다.
지시사항 이외의 블록을 변경하였을 경우 "**다시풀기**" 버튼을 눌러서 초기화 후 문제를 푸시기 바랍니다.

기출유형파악하기03-연습03

[예제파일 : 기출유형파악하기03-연습03 문제.sb2]　　　　　　　[정답파일 : 기출유형파악하기03-연습03 정답.sb2]

YBM Coding Specialist

설명
원숭이가 축구공을 차는 프로그램입니다.

동작과정
1. ▶ 클릭하면
   → 원숭이를 클릭하면 공을 차기 위해 움직입니다.
   → 공이 골대를 향해 움직입니다.
2. 프로그램 종료하기

코딩 스프라이트	축구공

지시사항

▶ 슈팅 메시지를 받았을 때
1) **축구공** 스프라이트가 벽에 닿았는가? 까지 다음 지시사항을 반복하기 하시오.
   ① 오른쪽 방향으로 '**25**'도 돌기 하시오.

▶ 킥 메시지를 받았을 때
1) 다음 지시사항을 순서대로 실행하는 스크립트를 완성하시오.
   ① **슛** 메시지를 방송하고 기다리기 하시오.
   ② '**1**'초 동안 좌표위치 x: '**230**', y: '**-53**'으로 움직이기 하시오.

유의사항
지시사항에서 설명한 블록만 이용하시오.
그렇지 않은 경우 채점되지 않습니다.
지시사항 이외의 블록을 변경하였을 경우 "**다시풀기**" 버튼을 눌러서 초기화 후 문제를 푸시기 바랍니다.

기출유형파악하기04

[예제파일 : 기출유형파악하기04문제.sb2]   [정답파일 : 기출유형파악하기04정답.sb2]

설명
배구공을 서로 주고받는 프로그램입니다.

동작과정
1. 🏳 클릭하면
   → 무대에 배구하는 사람과 배구공이 있습니다.
   → 두 사람이 서로 배구공을 주고 받습니다.
2. 프로그램 종료하기

코딩 스프라이트	배구공

지시사항

▶ 🏳 클릭했을 때
1) 다음 지시사항을 순서대로 실행하는 스크립트를 작성하시오.
   ① 맨 앞으로 순서 바꾸기 하시오.
   ② 크기를 '30'%로 정하기 하시오.
   ③ x: '−95', y: '−12'로 이동하기 하시오.
   ④ 토스 메시지를 방송하기 하시오.

▶ **토스** 메시지를 받았을 때
1) 다음 지시사항을 순서대로 '3'번 반복하는 스크립트를 작성하시오.
   ① '0.5'초 동안 x: '0', y: '70'으로 움직이기 하시오.
   ② '0.5'초 동안 x: '95', y: '−8'으로 움직이기 하시오.
   ③ '0.5'초 동안 x: '0', y: '70'으로 움직이기 하시오.
   ④ '0.5'초 동안 x: '−95', y: '−8'으로 움직이기 하시오.

유의사항

보기블록 스프라이트에 주어진 블록만 이용하시오.
그렇지 않은 경우 채점되지 않습니다.
지시사항 이외의 블록을 변경하였을 경우 **"다시풀기"** 버튼을 눌러서 초기화 후 문제를 푸시기 바랍니다.

⚙️ 풀이과정

스프라이트 : **배구공**

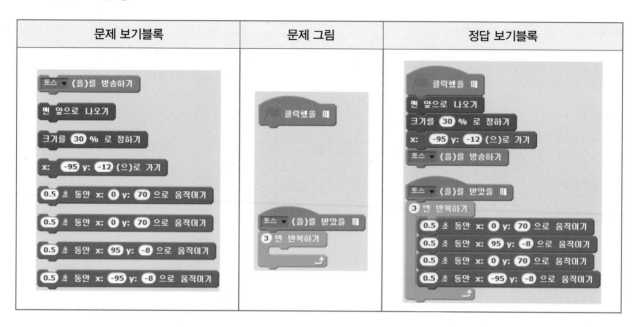

문제 보기블록	문제 그림	정답 보기블록

1. 보기블록 스프라이트를 클릭합니다.

2. 보기블록 에서 아래와 같이 블록을 조립합니다.

3. 조립한 블록을 배구공 스프라이트로 드래그 하여 보기블록에 주어진 블록을 복사합니다.

4. 보기블록 에서 아래와 같이 블록을 조립합니다.

5. 조립한 블록을 배구공 스프라이트로 드래그 하여 보기블록에 주어진 블록을 복사합니다.

6. 3번 반복하기 사이로 블록을 조립합니다.

7. 🚩 클릭하여 프로젝트를 실행합니다.

🔍 **TIP**　보기블록 문제시 블록 복사하는 가장 정확한 방법은 보기블록에 주어진 블록을 드래그하면서 흰색 마우스 포인터가 정확히 복사하고자 하는 스프라이트의 안에 드래그합니다.
만일, 드래그 하는 도중에 블록영역 창으로 드래그하게 되면 보기블록의 블록이 사라지게 됩니다. 블록이 사라지게 되면 다시풀기 버튼을 클릭하여 문제를 초기화 한 후 문제 풀기를 시작합니다.

기출유형파악하기04-연습01

[예제파일 : 기출유형파악하기04-연습01 문제.sb2]   [정답파일 : 기출유형파악하기04-연습01 정답.sb2]

설명
과녁을 향해 다트를 날리는 프로그램입니다.

동작과정

1. 🚩 클릭하면
   → 다트가 좌우로 움직입니다.
   → 스페이스 키를 누르면 다트가 날아갑니다.
   → 다트가 과녁에 닿으면 과녁의 색상에 따라 점수를 보여줍니다.
2. 프로그램 종료하기

변수설명

▶ **점수**
   점수를 저장하는 변수입니다.

코딩 스프라이트	다트

지시사항

▶ **이동** 메시지를 받았을 때
1) 다음 지시사항을 순서대로 무한 반복하는 스크립트를 작성하시오.
   ① 스프라이트를 '**4**'만큼 움직이기 하시오.
   ② 스프라이트가 벽에 닿으면 튕기기 하시오.
   ③ **발사** 메시지를 방송하고 기다리기 하시오.

▶ **발사** 메시지를 받았을 때
1) 만약 **스페이스** 키를 누르면 다음 지시사항을 순서대로 실행하는 스크립트를 작성하시오.
   ① **확인** 메시지를 방송하기 하시오.
   ② '**1**'초 기다리기 하시오.
   ③ 스프라이트를 좌표위치 x: '**0**', y: '**-80**'으로 이동하기 하시오.

유의사항

보기블록 스프라이트에 주어진 블록만 이용하시오.
그렇지 않은 경우 채점되지 않습니다.
지시사항 이외의 블록을 변경하였을 경우 "**다시풀기**" 버튼을 눌러서 초기화 후 문제를 푸시기 바랍니다.

기출유형파악하기04-연습02

[예제파일 : 기출유형파악하기04-연습02 문제.sb2]   [정답파일 : 기출유형파악하기04-연습02 정답.sb2]

YBM Coding Specialist

설명
풍선을 향해 다트를 날리는 프로그램입니다.

동작과정
1. 🏁 클릭하면
   → 풍선이 상하로 움직입니다.
   → 스페이스 키를 누르면 다트가 날아갑니다.
   → 다트가 풍선에 닿으면 점수가 증가합니다.
2. 프로그램 종료하기

변수설명

▶ **점수**
   점수를 저장하는 변수입니다.

코딩 스프라이트	풍선

지시사항

▶ **복제되었을 때**
1) 다음 지시사항을 순서대로 무한 반복하는 스크립트를 작성하시오.
   ① 만약 **다트**에 닿았는가? (이)라면 다음 지시사항대로 순서대로 수행하는 스크립트를 작성하시오.
      – **점수**를 '**1**'만큼 바꾸기 하시오.   – 다음 모양으로 바꾸기 하시오.

유의사항

지시사항에서 설명한 블록만 이용하시오.
그렇지 않은 경우 채점되지 않습니다.
지시사항 이외의 블록을 변경하였을 경우 **"다시풀기"** 버튼을 눌러서 초기화 후 문제를 푸시기 바랍니다.

코딩 스프라이트	다트

지시사항

▶ **스페이스 키를 눌렀을 때**
1) 다음 지시사항을 순서대로 실행하는 스크립트를 작성하시오.
   ① 만약 **벽**에 닿았는가? 까지 반복하시오.
      – x좌표를 '**–20**'만큼 바꾸기 하시오.

유의사항

지시사항에서 설명한 블록만 이용하시오.
그렇지 않은 경우 채점되지 않습니다.
지시사항 이외의 블록을 변경하였을 경우 **"다시풀기"** 버튼을 눌러서 초기화 후 문제를 푸시기 바랍니다.

기출유형파악하기04-연습03

[예제파일 : 기출유형파악하기04-연습03 문제.sb2]   [정답파일 : 기출유형파악하기04-연습03 정답.sb2]

YBM Coding Specialist

설명

나팔고둥을 클릭하면 펭귄이 결승선을 향해 헤엄치는 프로그램입니다.

동작과정

1. 🏳 클릭하면
2. 무대에 있는 나팔고둥을 클릭합니다.
   → 고둥소리가 납니다.
   → 펭귄이 결승선을 향해 헤엄칩니다.
   → 펭귄이 결승선에 도착하면 꽃가루가 날립니다.
3. 프로그램 종료하기

변수설명

▶ **종료**
  펭귄이 결승선에 닿으면 프로그램을 종료하기 위해 사용하는 변수입니다.

코딩 스프라이트	펭귄

지시사항

▶ **펭귄수영** 메시지를 받았을 때
1) **종료** 변수가 '1'이 될 때까지 다음 지시사항을 순서대로 반복하기 하시오.
   ① x좌표를 '-3'만큼 바꾸기 하시오.   ② 다음 모양으로 바꾸기 하시오.
   ③ '0.1'초 기다리기 하시오.

유의사항

지시사항에서 설명한 블록만 이용하시오.
그렇지 않은 경우 채점되지 않습니다.
지시사항 이외의 블록을 변경하였을 경우 **"다시풀기"** 버튼을 눌러서 초기화 후 문제를 푸시기 바랍니다.

코딩 스프라이트	나팔고둥

지시사항

▶ 이 스프라이트를 클릭했을 때
1) 다음 지시사항을 순서대로 실행하는 스크립트를 작성하시오.
   ① **고둥소리**를 재생하시오.   ② **펭귄수영** 메시지를 방송하시오.

유의사항

지시사항에서 설명한 블록만 이용하시오.
그렇지 않은 경우 채점되지 않습니다.
지시사항 이외의 블록을 변경하였을 경우 **"다시풀기"** 버튼을 눌러서 초기화 후 문제를 푸시기 바랍니다.

기출유형파악하기05

[예제파일 : 기출유형파악하기05문제.sb2]

[정답파일 : 기출유형파악하기05정답.sb2]

YBM Coding Specialist

설명

말이 허들을 넘는 프로그램입니다.

동작과정

1. 🚩 클릭하면
2. 허들이 말을 향해 움직입니다.
3. 스페이스키를 누르면 말이 점프를 합니다.
   → 말이 허들을 넘으면 계속 허들이 다가옵니다.
   → 그렇지 않으면 멈춥니다.
4. 프로그램 종료하기

코딩 스프라이트	말

지시사항

▶ **스페이스** 키를 눌렀을 때
1) 다음 지시사항을 순서대로 실행하는 스크립트를 작성하시오.
   ① 모양을 **점프**로 바꾸기 하시오.
   ② '0.5'초 동안 x: '−180', y: '150'으로 움직이기 하시오.
   ③ '0.1'초 기다리기 하시오.
   ④ '0.5'초 동안 x: '−180', y: '−50'으로 움직이기 하시오.
   ⑤ 모양을 준비로 바꾸기 하시오.

▶ **실패** 메시지를 받았을 때
1) 다음 지시사항을 순서대로 실행하는 스크립트를 작성하시오.
   ① 모양을 **넘어짐**으로 바꾸기 하시오.
   ② **모두** 멈추기 하시오.

유의사항

보기블록 스프라이트에 주어진 블록만 이용하시오.
그렇지 않은 경우 채점되지 않습니다.
지시사항 이외의 블록을 변경하였을 경우 **"다시풀기"** 버튼을 눌러서 초기화 후 문제를 푸시기 바랍니다.

⚙️ 풀이과정

스프라이트 : **말**

문제 보기블록	문제 그림	정답 보기블록
모두 ▼ 멈추기 0.1 초 기다리기 모양을 점프 ▼ (으)로 바꾸기 모양을 준비 ▼ (으)로 바꾸기 모양을 넘어짐 ▼ (으)로 바꾸기 0.5 초 동안 x: -180 y: -50 으로 움직이기 0.5 초 동안 x: -180 y: 150 으로 움직이기	스페이스 ▼ 키를 눌렀을 때 실패 ▼ (을)를 받았을 때	스페이스 ▼ 키를 눌렀을 때 모양을 점프 ▼ (으)로 바꾸기 0.5 초 동안 x: -180 y: 150 으로 움직이기 0.1 초 기다리기 0.5 초 동안 x: -180 y: -50 으로 움직이기 모양을 준비 ▼ (으)로 바꾸기 실패 ▼ (을)를 받았을 때 모양을 넘어짐 ▼ (으)로 바꾸기 모두 ▼ 멈추기

1. 보기블록 스프라이트를 클릭합니다.

2. 보기블록 에서 아래와 같이 블록을 조립합니다.

3. 조립한 블록을 말 스프라이트로 드래그하여 보기블록에 주어진 블록을 복사합니다.

4. ［스페이스 ▼ 키를 눌렀을 때］ 아래로 블록을 조립합니다.

5. 보기블록에서 아래와 같이 블록을 조립합니다.

6. 조립한 블록을 말 스프라이트로 드래그 하여 보기블록에 주어진 블록을 복사합니다.

7. ［실패 ▼ (을)를 받았을 때］ 아래로 블록을 조립합니다.

8. 🚩 클릭하여 프로젝트를 실행합니다.

🔍 **TIP** 　보기블록 문제시 블록 복사하는 가장 정확한 방법은 보기블록에 주어진 블록을 드래그하면서 흰색 마우스 포인터가 정확히 복사하고자 하는 스프라이트의 안에 드래그합니다.
만일, 드래그 하는 도중에 블록영역 창으로 드래그하게 되면 보기블록의 블록이 사라지게 됩니다. 블록이 사라지게 되면 다시풀기 버튼을 클릭하여 문제를 초기화 한 후 문제 풀기를 시작합니다.

기출유형파악하기05-연습01

[예제파일 : 기출유형파악하기05-연습01 문제.sb2]   [정답파일 : 기출유형파악하기05-연습01 정답.sb2]

YBM Coding Specialist

설명

피리를 연주하면 항아리에서 뱀이 나오는 프로그램입니다.

동작과정

1. 🏁 클릭하면
2. 피리를 클릭합니다.
    → 항아리에서 뱀이 올라옵니다.
3. 프로그램 종료하기

코딩 스프라이트	피리

지시사항

▶ 이 스프라이트를 클릭했을 때
1) 다음 지시사항을 순서대로 동작하는 스크립트를 작성하시오.
    ① 다음 모양으로 바꾸기 하시오.
    ② '**도미솔**' 말하기 하시오.
    ③ **연주시작** 메시지를 방송하기 하시오.

유의사항

지시사항에서 설명한 블록만 이용하시오.
그렇지 않은 경우 채점되지 않습니다.
지시사항 이외의 블록을 변경하였을 경우 "**다시풀기**" 버튼을 눌러서 초기화 후 문제를 푸시기 바랍니다.

코딩 스프라이트	뱀

지시사항

▶ **연주시작** 메시지를 받았을 때
1) '**1**'초 동안 좌표위치 x: '**0**', y: '**-10**'으로 움직이기 하시오.

유의사항

지시사항에서 설명한 블록만 이용하시오.
그렇지 않은 경우 채점되지 않습니다.
지시사항 이외의 블록을 변경하였을 경우 "**다시풀기**" 버튼을 눌러서 초기화 후 문제를 푸시기 바랍니다.

기출유형파악하기05-연습02

[예제파일 : 기출유형파악하기05-연습02 문제.sb2]　　　　　[정답파일 : 기출유형파악하기05-연습02 정답.sb2]

YBM Coding Specialist

설명

피코가 오렌지를 피하는 프로그램입니다.

동작과정

1. 🚩 클릭하면
2. 오렌지가 피코를 향해 움직입니다.
3. 스페이스 키를 누르면 피코가 점프를 합니다.
   → 피코가 오렌지를 넘으면 계속 오렌지가 다가옵니다.
   → 그렇지 않으면 피코가 깜박입니다.
4. 프로그램 종료하기

코딩 스프라이트	피코

지시사항

▶ **깜빡이기** 메시지를 받았을 때
1) 다음 지시사항을 '**3**'번 반복하는 스크립트를 작성하시오.
   ① 반투명 효과를 '**50**'(으)로 정하기 하시오.　　② '**0.1**'초 기다리기 하시오
   ③ 반투명 효과를 '**0**'(으)로 정하기 하시오.　　④ '**0.1**'초 기다리기 하시오.

유의사항

지시사항에서 설명한 블록만 이용하시오.
그렇지 않은 경우 채점되지 않습니다.
지시사항 이외의 블록을 변경하였을 경우 "**다시풀기**" 버튼을 눌러서 초기화 후 문제를 푸시기 바랍니다.

코딩 스프라이트	오렌지

지시사항

▶ 🚩 클릭했을 때
1) 다음 지시사항을 무한 반복하는 스크립트를 작성하시 오.
   ① 만약 **벽**에 닿았는가? (이)라면 다음 지시사항 순서대로 수행하는 스크립트를 작성하시오.
   – 스프라이트를 좌표위치 x: '**195**', y: '**20**'으로 이동하기 하시오.
   – '**0.1**'초 기다리기 하시오.

유의사항

지시사항에서 설명한 블록만 이용하시오.
그렇지 않은 경우 채점되지 않습니다.
지시사항 이외의 블록을 변경하였을 경우 "**다시풀기**" 버튼을 눌러서 초기화 후 문제를 푸시기 바랍니다.

기출유형파악하기05-연습03

[예제파일 : 기출유형파악하기05-연습03 문제.sb2]   [정답파일 : 기출유형파악하기05-연습03 정답.sb2]

YBM Coding Specialist

설명
입력한 속도에 따라 강아지가 움직이는 프로그램입니다.

동작과정
1. 🏁 클릭하면
2. 세 가지 속도('상', '중', '하') 중에서 원하는 속도를 한 가지를 입력합니다.
   → 입력한 속도에 따라 강아지가 움직입니다.
3. 프로그램 종료하기

변수설명

▶ **속도**
  강아지가 이동하는 속도를 정하기 위해 사용하는 변수입니다.

코딩 스프라이트	강아지

지시사항

▶ **시작** 메시지를 받았을 때
1) 다음 지시사항을 순서대로 실행하는 스크립트를 작성하시오.
   ① **속도** 변수가 **상**이면 다음 지시사항을 순서대로 작성하시오.
      - **이동1** 메시지를 방송하기 하시오.
      - **이동** 메시지를 방송하기 하시오.
   ② **속도** 변수가 **중**이면 다음 지시사항을 순서대로 작성하시오.
      - **이동2** 메시지를 방송하기 하시오.
      - **이동** 메시지를 방송하기 하시오.
   ③ **속도** 변수가 **하**이면 다음 지시사항을 순서대로 작성하시오.
      - **이동3** 메시지를 방송하기 하시오.
      - **이동** 메시지를 방송하기 하시오.

▶ **이동** 메시지를 받았을 때
1) **강아지** 스프라이트가 **벽**에 닿으면 스크립트를 다음 지시사항을 실행하는 스크립트를 작성하시오.
   ① 모두 멈추기 하시오.

유의사항

지시사항에서 설명한 블록만 이용하시오.
그렇지 않은 경우 채점되지 않습니다.
지시사항 이외의 블록을 변경하였을 경우 **"다시풀기"** 버튼을 눌러서 초기화 후 문제를 푸시기 바랍니다.

기출유형파악하기06

[예제파일 : 기출유형파악하기06문제.sb2]   [정답파일 : 기출유형파악하기06정답.sb2]

YBM Coding Specialist

설명

거북이가 사과를 먹는 프로그램입니다.

동작과정

1. ⚑ 클릭하면
2. 거북이와 사과가 보입니다.
   → 거북이가 사과를 향해 움직입니다.
   → 거북이가 사과를 먹고 난 후 무대 밖으로 사라집니다.
3. 프로그램 종료하기

코딩 스프라이트	거북이

지시사항

▶ **이동** 추가블록

1) 다음 지시사항을 순서대로 무한 반복하는 스크립트를 작성하시오.
   ① '10'만큼 움직이기 하시오.
   ② 다음 모양으로 바꾸기 하시오.
   ③ **사라지기** 추가블록을 실행하시오.

유의사항

지시사항에서 설명한 블록만 이용하시오.
그렇지 않은 경우 채점되지 않습니다.
지시사항 이외의 블록을 변경하였을 경우 **"다시풀기"** 버튼을 눌러서 초기화 후 문제를 푸시기 바랍니다.

코딩 스프라이트	사과

지시사항

▶ ⚑ 클릭했을 때

1) 다음 지시사항을 순서대로 실행하는 스크립트를 작성하시오.
   ① 보이기 하시오.
   ② 크기를 '30'%로 정하기 하시오.
   ③ x: '−150'부터 '220' 사이의 난수, y: '−120'부터 '140' 사이의 난수로 이동하기 하시오.

유의사항

지시사항에서 설명한 블록만 이용하시오.
그렇지 않은 경우 채점되지 않습니다.
지시사항 이외의 블록을 변경하였을 경우 **"다시풀기"** 버튼을 눌러서 초기화 후 문제를 푸시기 바랍니다.

풀이과정

스프라이트 : **거북이**

예제 블록	정답 블록
정의하기 이동 무한 반복하기	정의하기 이동 무한 반복하기 10 만큼 움직이기 다음 모양으로 바꾸기 사라지기

1. 🏴 클릭했을 때 아래에 아래와 같이 조립합니다.

2. [동작] 10 만큼 움직이기 팔레트의 블록을 이동 추가 블록 아래로 드래그 합니다.

3. [형태] 팔레트의 다음 모양으로 바꾸기 블록을 10 만큼 움직이기 아래로 드래그 합니다.

4. 사라지기 추가블록을 다음 모양으로 바꾸기 아래로 드래그 합니다.

5. 🏴 클릭하여 프로젝트를 실행합니다.

스프라이트 : **사과**

예제 블록	정답 블록
클릭했을 때	

1. 🏴 클릭했을 때 아래에 아래와 같이 조립합니다.

2. [형태] 팔레트의 보이기 블록을 클릭했을 때 아래로 드래그 합니다.

3. [형태] 팔레트의 크기를 100 % 로 정하기 블록을 보이기 아래로 드래그 합니다. 숫자를 30으로 수정합니다.

4. [동작] 팔레트의 x: 0 y: 0 (으)로 가기 블록을 크기를 100 % 로 정하기 아래로 드래그 합니다.

5. [연산] 팔레트의 1 부터 10 사이의 난수 를 이용하여 x, y 위치를 지정하여 줍니다.

6. 🏴 클릭하여 프로젝트를 실행합니다.

TIP 블록에서 흰색 바탕에 0으로 표시된 모든 블록은 수험생이 직접 숫자를 입력하여 수정하여야 합니다.

기출유형파악하기06-연습01

[예제파일 : 기출유형파악하기06-연습01 문제.sb2]　　　　[정답파일 : 기출유형파악하기06-연습01 정답.sb2]

YBM Coding Specialist

설명

고양이에게 공을 주는 프로그램입니다.

동작과정

1. 🚩 클릭하면
2. 마우스를 움직이면 공이 마우스를 따라 다닙니다.
   → 고양이가 공을 향해 움직입니다.
   → 공을 물고 난 후 다시 자유롭게 돌아다닙니다.
3. 프로그램 종료하기

코딩 스프라이트	공

지시사항

▶ 🚩 클릭했을 때
1) 다음 지시사항을 순서대로 무한 반복하기 하시오.
   ① 마우스 포인터 위치로 이동하기 하시오.
   ② **공** 추가블록을 실행하시오.

▶ **공** 추가블록
1) 마우스를 클릭하면 다음 지시사항을 실행하는 스크립트를 작성하시오.
   ① **고양이**에 닿았는가? 또는 **벽**에 닿았는가? 까지 다음 지시사항을 반복하기 하시오.
   - y좌표를 '**-4**'만큼 바꾸기 하시오.

유의사항

보기블록 스프라이트에 주어진 블록만 이용하시오.
그렇지 않은 경우 채점되지 않습니다.
지시사항 이외의 블록을 변경하였을 경우 **"다시풀기"** 버튼을 눌러서 초기화 후 문제를 푸시기 바랍니다.

기출유형파악하기06-연습02

[예제파일 : 기출유형파악하기06-연습02 문제.sb2]   [정답파일 : 기출유형파악하기06-연습02 정답.sb2]

YBM Coding Specialist

설명

물고기에게 먹이를 주는 프로그램입니다.

동작과정

1. 🚩 클릭하면
2. 마우스를 클릭하여 물고기에게 먹이를 뿌립니다.
    → 물고기가 먹이를 향해 움직입니다.
    → 먹이를 먹고 난 후 다시 자유롭게 돌아다닙니다.
3. 프로그램 종료하기

코딩 스프라이트	먹이

지시사항

▶ 🚩 클릭했을 때
1) 다음 지시사항을 순서대로 무한 반복하는 스크립트를 작성하시오.
    ① 마우스 포인터 위치로 이동하기 하시오.
    ② **먹이주기** 추가블록을 실행하시오.

▶ **먹이주기** 추가블록
1) 만약 **마우스를 클릭했는가?** (이)라면 다음 지시사항을 실행하는 스크립트를 작성하시오.
    ① **물고기**에 닿았는가? 또는 **벽**에 닿았는가? 까지 다음 지시사항을 반복하기 하시오.
        - y좌표를 '**-3**'만큼 바꾸기 하시오.

유의사항

지시사항에서 설명한 블록만 이용하시오.
그렇지 않은 경우 채점되지 않습니다.
지시사항 이외의 블록을 변경하였을 경우 **"다시풀기"** 버튼을 눌러서 초기화 후 문제를 푸시기 바랍니다.

기출유형파악하기06-연습03

[예제파일 : 기출유형파악하기06-연습03 문제.sb2]   [정답파일 : 기출유형파악하기06-연습03 정답.sb2]

YBM Coding Specialist

설명

제비가 무당벌레를 먹는 프로그램입니다.

동작과정

1. ▶ 클릭하면
2. 제비와 무당벌레가 무대에 보입니다.
   → 제비가 무당벌레를 향해 움직입니다.
   → 무당벌레를 먹고 난 후 무대 밖으로 사라집니다.
3. 프로그램 종료하기

코딩 스프라이트	제비

지시사항

▶ **이동** 메시지를 받았을 때
1) 다음 지시사항을 순서대로 무한 반복하는 스크립트를 작성하시오.
   ① **벽**에 닿으면 튕기기 하시오.
   ② '10'만큼 움직이기 하시오
   ③ 다음 모양으로 바꾸기 하시오.
   ④ 만약 **벽**에 닿았는가?라면 스프라이트를 숨기기 하시오.

유의사항

지시사항에서 설명한 블록만 이용하시오.
그렇지 않은 경우 채점되지 않습니다.
지시사항 이외의 블록을 변경하였을 경우 **"다시풀기"** 버튼을 눌러서 초기화 후 문제를 푸시기 바랍니다.

코딩 스프라이트	무당벌레

지시사항

▶ *▶ 클릭했을 때*
1) 다음 지시사항을 순서대로 실행하는 스크립트를 작성하시오.
   ① 보이기 하시오.
   ② 크기를 '20'%로 정하기 하시오.
   ③ x: '-150'부터 '220' 사이의 난수, y: '-104'부터 '-50' 사이의 난수로 이동하기 하시오.

유의사항

지시사항에서 설명한 블록만 이용하시오.
그렇지 않은 경우 채점되지 않습니다.
지시사항 이외의 블록을 변경하였을 경우 **"다시풀기"** 버튼을 눌러서 초기화 후 문제를 푸시기 바랍니다.

기출유형파악하기07

[예제파일 : 기출유형파악하기07문제.sb2]   [정답파일 : 기출유형파악하기07정답.sb2]

YBM Coding Specialist

설명
문자 발송 요금을 알려주는 프로그램입니다.

동작과정
1. 🚩 클릭하면
2. 전송할 문자를 입력합니다.
3. 전송버튼을 클릭합니다.
4. 문자 발송 요금을 말합니다.
   → 입력한 문자 수가 10자 미만이면 '문자 발송 요금은 40원입니다.'를 말합니다.
   → 입력한 문자 수가 10자 이상이면 '문자 발송 요금은 100원입니다.'를 말합니다.
5. 프로그램 종료하기

변수설명

▶ **문자이용료**
   문자 요금을 계산하기 위해 사용하는 변수입니다.

코딩 스프라이트	전송버튼

지시사항

▶ 이 스프라이트가 클릭될 때
1) 다음 지시사항을 실행하는 스크립트를 작성하시오.
   ① 만약 **대답**의 길이가 '**10**'보다 작으면 **문자이용료** 변수를 '**40**'으로 정하기 하시오.
   ② 그렇지 않으면 **문자이용료** 변수를 '**100**'으로 정하기 하시오.

유의사항

보기블록 스프라이트에 주어진 블록만 이용하시오.
그렇지 않은 경우 채점되지 않습니다.
지시사항 이외의 블록을 변경하였을 경우 **"다시풀기"** 버튼을 눌러서 초기화 후 문제를 푸시기 바랍니다.

풀이과정

스프라이트 : **전송버튼**

문제 보기블록	문제 그림	정답 보기블록

1. 보기블록 스프라이트를 클릭합니다.

2. 보기블록의 블록을 전송버튼 스프라이트로 복사합니다.

3. 대답 블록과 █의 길이 블록을 대답 의 길이 로 조립하여 만약 ~이라면 사이에 조립합니다.

4. 만약 대답의 길이가 10보다 작으면 문자이용료 ▼ (을)를 40 로 정하기 를 조립합니다.

5. 만약 대답의 길이가 10보다 작으면 문자이용료 ▼ (을)를 100 로 정하기 를 조립합니다.

6. ⚑ 클릭하여 프로젝트를 실행합니다.

TIP 보기블록 문제시 블록 복사하는 가장 정확한 방법은 보기블록에 주어진 블록을 드래그하면서 흰색 마우스 포인터가 정확히 복사하고자 하는 스프라이트의 안에 드래그합니다.
만일, 드래그 하는 도중에 블록영역 창으로 드래그하게 되면 보기블록의 블록이 사라지게 됩니다. 블록이 사라지게 되면 "다시 풀기" 버튼을 클릭하여 문제를 초기화 한 후 문제 풀기를 시작합니다.

기출유형파악하기07-연습01

[예제파일 : 기출유형파악하기07-연습01 문제.sb2]　　　　　　[정답파일 : 기출유형파악하기07-연습01 정답.sb2]

YBM Coding Specialist

설명
골프채로 골프공을 치는 프로그램입니다.

동작과정
1. ▶ 클릭하면
   → 힘게이지가 움직입니다.
2. 스페이스 키를 누르면 골프채를 휘두릅니다.
   → 힘게이지의 타격이 8보다 클 때 골프채를 휘두르면 고양이가 '좋아요.'를 말합니다.
   → 그렇지 않으면 고양이가 '다시 도전하세요.'를 말합니다.
3. 프로그램 종료하기

변수설명

▶ **타격**
　'좋아요.' 또는 '다시 도전하세요.'를 판단하기 위해 사용하는 변수입니다.

코딩 스프라이트	힘게이지

지시사항

▶ **게이지** 추가블록
1) 다음 지시사항을 순서대로 실행하는 스크립트를 작성하시오.
   ① **'0.3'**초 기다리기 하시오
   ② 스프라이트를 다음 모양으로 바꾸기 하시오.
   ③ **타격** 변수를 **'1'**만큼 바꾸기 하시오.

유의사항

지시사항에서 설명한 블록만 이용하시오.
그렇지 않은 경우 채점되지 않습니다.
지시사항 이외의 블록을 변경하였을 경우 **"다시풀기"** 버튼을 눌러서 초기화 후 문제를 푸시기 바랍니다.

기출유형파악하기07-연습02

[예제파일 : 기출유형파악하기07-연습02 문제.sb2]   [정답파일 : 기출유형파악하기07-연습02 정답.sb2]

YBM Coding Specialist

설명

영상통화 요금을 말해주는 프로그램입니다.

동작과정

1. ⚑ 클릭하면
2. 영상통화 시간을 입력합니다.
   → 입력한 시간에 따라 통신 요금을 계산하여 말합니다.
3. 프로그램 종료하기

변수설명

▶ **분**
  영상통화 시간을 저장하는 변수입니다.

코딩 스프라이트	요금

지시사항

▶ **계산** 추가블록
1) 다음 지시사항을 순서대로 실행하는 스크립트를 작성하시오.
   ① **분** 변수를 **시간** 매개변수만큼 바꾸기 하시오.
   ② **분** 변수 * '**100**' 과 '**원입니다.**' 결합하기 말하기 하시오.

유의사항

보기블록 스프라이트에 주어진 블록만 이용하시오.
그렇지 않은 경우 채점되지 않습니다.
지시사항 이외의 블록을 변경하였을 경우 **"다시풀기"** 버튼을 눌러서 초기화 후 문제를 푸시기 바랍니다.

기출유형파악하기07-연습03

[예제파일 : 기출유형파악하기07-연습03 문제.sb2]   [정답파일 : 기출유형파악하기07-연습03 정답.sb2]

YBM Coding Specialist

설명
야구 방망이로 야구공을 치는 프로그램입니다.

동작과정
1. 🏳 클릭하면
   → 에너지바가 움직입니다.
2. 스페이스 키를 누르면 야구방망이를 휘두릅니다.
   → 에너지바가 8을 넘으면 관중이 '홈런'을 말합니다.
   → 그렇지 않으면 관중이 '파울'을 말합니다.
3. 프로그램 종료하기

변수설명

▶ **타격**
   홈런 또는 파울을 판단하기 위해 사용하는 변수입니다.

코딩 스프라이트	야구방망이

지시사항

▶ **스페이스** 키를 눌렀을 때
1) 다음 지시사항을 순서대로 실행하는 스크립트를 작성하시오.
   ① 다음 지시사항을 '**2**'번 반복하기 하시오.
      – 왼쪽 방향으로 '**45**'도 돌기 하시오.
   ② '**90**'도 방향 보기 하시오.
   ③ **휘두르기** 메시지를 방송하기 하시오.

유의사항

지시사항에서 설명한 블록만 이용하시오.
그렇지 않은 경우 채점되지 않습니다.
지시사항 이외의 블록을 변경하였을 경우 **"다시풀기"** 버튼을 눌러서 초기화 후 문제를 푸시기 바랍니다.

기출유형파악하기08

[예제파일 : 기출유형파악하기08문제.sb2]

[정답파일 : 기출유형파악하기08정답.sb2]

YBM Coding Specialist

설명
지폐를 구분하는 프로그램입니다.

동작과정
1. ⚑ 클릭하면
   → 원화(Won) 지폐와 달러(Dollar) 지폐가 보입니다.
2. 지폐를 드래그하여 해당 지폐함 위로 이동합니다.
   → 올바른 지폐함에 올리면 점수가 100점 증가합니다.
3. 프로그램 종료하기

변수설명

▶ **점수**
   점수를 저장하는 변수입니다.

코딩 스프라이트	달러지폐함

지시사항

▶ **판단** 추가블록
1) 만약 **Dollar(달러)**에 닿았는가? 라면 **점수** 변수를 '**100**'만큼 바꾸기 하시오.

유의사항

보기블록1 스프라이트에 주어진 블록만 이용하시오.
그렇지 않은 경우 채점되지 않습니다.
지시사항 이외의 블록을 변경하였을 경우 "**다시풀기**" 버튼을 눌러서 초기화 후 문제를 푸시기 바랍니다.

코딩 스프라이트	원화지폐함

지시사항

▶ **판단** 추가블록
1) 만약 **Won(원)**에 닿았는가? 라면 **점수** 변수를 '**100**' 만큼 바꾸기 하시오.

유의사항

보기블록2 스프라이트에 주어진 블록만 이용하시오.
그렇지 않은 경우 채점되지 않습니다.
지시사항 이외의 블록을 변경하였을 경우 "**다시풀기**" 버튼을 눌러서 초기화 후 문제를 푸시기 바랍니다.

🔧 풀이과정

스프라이트 : **달러지폐함**

문제 보기블록	문제 그림	정답 보기블록
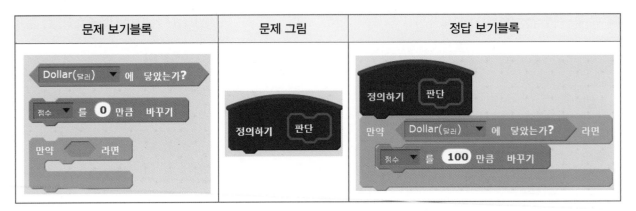		

1. 보기블록1 스프라이트를 클릭합니다.

2. 문제 보기블록을 아래와 같이 조립하여 달러지폐함 스프라이트로 드래그하여 보기블록에 주어진 블록을 복사합니다.

3. 판단 추가블록 아래에 조립합니다.

스프라이트 : **원화지폐함**

문제 보기블록	문제 그림	정답 보기블록
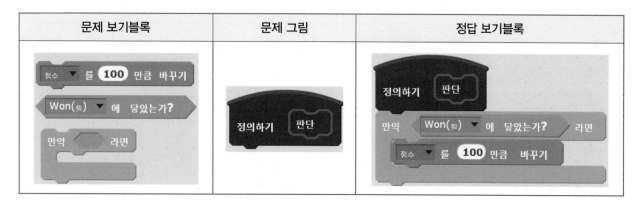		

1. 보기블록2 스프라이트를 클릭합니다.

2. 문제 보기블록을 아래와 같이 조립하여 원화지폐함 스프라이트로 드래그하여 보기블록에 주어진 블록을 복사합니다.

3. 판단 추가블록 아래에 조립합니다.

4. ▶ 클릭하여 프로젝트를 실행합니다.

 TIP　보기블록 문제시 블록 복사하는 가장 정확한 방법은 보기블록에 주어진 블록을 드래그하면서 흰색 마우스 포인터가 정확히 복사하고자 하는 스프라이트의 안에 드래그합니다.

만일, 드래그 하는 도중에 블록영역 창으로 드래그하게 되면 보기블록의 블록이 사라지게 됩니다. 블록이 사라지게 되면 "다시 풀기" 버튼을 클릭하여 문제를 초기화 한 후 문제 풀기를 시작합니다.

MEMO

기출유형파악하기08-연습01

[예제파일 : 기출유형파악하기08-연습01 문제.sb2]   [정답파일 : 기출유형파악하기08-연습01 정답.sb2]

YBM Coding Specialist

설명
원숭이가 사자를 피하는 프로그램입니다.

동작과정
1. 🏳 클릭하면
   → 원숭이가 점점 아래로 가라앉습니다.
   → 스페이스 키를 누르면 원숭이가 위로 올라갑니다.
   → 만약 원숭이가 사자에 닿으면 종료합니다.
2. 프로그램 종료하기

코딩 스프라이트	원숭이

지시사항

▶ **사냥** 메시지를 받았을 때
1) 다음 지시사항을 순서대로 실행하는 스크립트를 작성하시오.
   ① '-90'도 방향 보기 하시오.
   ② 다음 지시사항을 '20'번 반복하기 하시오.
      - y좌표를 '-10' 만큼 바꾸기 하시오.
   ③ 스크립트를 모두 멈추기 하시오.

▶ **도망** 메시지를 받았을 때
1) 만약 **스페이스** 키를 누르면 다음 지시사항을 순서대로 실행하는 스크립트를 작성하시오.
   ① 스프라이트를 다음 모양으로 바꾸기 하시오.
   ② y좌표를 '5'만큼 바꾸기 하시오.

유의사항

보기블록 스프라이트에 주어진 블록만 이용하시오.
그렇지 않은 경우 채점되지 않습니다.
지시사항 이외의 블록을 변경하였을 경우 **"다시풀기"** 버튼을 눌러서 초기화 후 문제를 푸시기 바랍니다.

기출유형파악하기08-연습02

[예제파일 : 기출유형파악하기08-연습02 문제.sb2]　　　　　　[정답파일 : 기출유형파악하기08-연습02 정답.sb2]

YBM Coding Specialist

설명
나노가 움직이는 별을 피하는 프로그램입니다.

동작과정
1. 🚩 클릭하면
   → 별이 무작위의 위치로 움직입니다.
   → 나노가 별에 닿지 않도록 마우스를 이용하여 피합니다.
   → 만약 나노가 별에 닿으면 별을 피해 움직인 시간을 말합니다.
2. 프로그램 종료하기

변수설명
▶ N
　시간의 흐름에 따라 별의 수를 늘리기 위해 사용하는 변수입니다.

코딩 스프라이트	나노

지시사항

▶ 🚩 클릭했을 때
1) 다음 지시사항을 순서대로 무한 반복하는 스크립트를 작성하시오.
   ① 만약 **별**에 닿았는가? (이)라면 다음 지시사항을 순서대로 실행하는 스크립트를 작성하시오.
   　– **종료** 방송하기 하시오.

유의사항
지시사항에서 설명한 블록만 이용하시오.
그렇지 않은 경우 채점되지 않습니다.
지시사항 이외의 블록을 변경하였을 경우 **"다시풀기"** 버튼을 눌러서 초기화 후 문제를 푸시기 바랍니다.

코딩 스프라이트	별

지시사항

▶ **별이동** 추가블록
1) 다음 지시사항을 순서대로 실행하는 스크립트를 작성하시오.
   ① 왼쪽 방향으로 '–10'부터 '10' 사이의 난수 도로 돌기 하시오.
   ② '10'만큼 움직이기 하시오.
   ③ 벽에 닿으면 튕기기 하시오.

유의사항
지시사항에서 설명한 블록만 이용하시오.
그렇지 않은 경우 채점되지 않습니다.
지시사항 이외의 블록을 변경하였을 경우 **"다시풀기"** 버튼을 눌러서 초기화 후 문제를 푸시기 바랍니다.

기출유형파악하기08-연습03

[예제파일 : 기출유형파악하기08-연습03 문제.sb2]   [정답파일 : 기출유형파악하기08-연습03 정답.sb2]

YBM Coding Specialist

설명

배가 등대를 향해 이동하게 하는 프로그램입니다.

동작과정

1. 🏳 클릭하면
   → 배가 이리저리 움직입니다.
   → 등대를 클릭하면 배가 등대 방향으로 움직입니다.
2. 프로그램 종료하기

코딩 스프라이트	배

지시사항

▶ **도착** 메시지를 받았을 때
1) 만약 **등대** 스프라이트에 닿았는가? (이)라면 다음 지시사항을 실행하는 스크립트를 작성하시오.
   ① 모두 멈추기 하시오.

▶ **등대** 메시지를 받았을 때
1) 다음 지시사항을 순서대로 '**10**'번 반복하는 스크립트를 작성하시오.
   ① **등대** 쪽 보기 하시오.
   ② '**2**'만큼 움직이기 하시오.

유의사항

지시사항에서 설명한 블록만 이용하시오.
그렇지 않은 경우 채점되지 않습니다.
지시사항 이외의 블록을 변경하였을 경우 **"다시풀기"** 버튼을 눌러서 초기화 후 문제를 푸시기 바랍니다.

03

테스트

기출유형파악하기09

[예제파일 : 기출유형파악하기09문제.sb2] [정답파일 : 기출유형파악하기09정답.sb2]

YBM Coding Specialist

설명
수영장에서 수영용품을 빌리는 프로그램입니다.

동작과정
1. ⚑ 클릭하면
2. 빌릴 물건(수경 또는 수영복)을 입력합니다.
3. 대상(어른 또는 어린이)을 입력합니다.
4. 프로그램 종료하기

변수설명

▶ **가격**
  총 가격을 저장하는 변수입니다.
▶ **대상**
  물건을 빌리는 대상을 저장하는 변수입니다.
▶ **대여품**
  빌릴 수영용품을 저장하는 변수입니다.

코딩 스프라이트	고양이

지시사항

▶ ⚑ 클릭했을 때
1) 다음 지시사항을 순서대로 실행하는 스크립트를 작성하시오.
    ① **가격** 변수를 '**0**'으로 정하기 하시오.
    ② **대답 = '아니오'**까지 **빌리기** 추가블록을 반복하기 하시오.

▶ **계산 추가블록**
1) 만약 **물건** 매개변수 = '**수경**'이라면 다음 지시사항을 순서대로 실행하는 스크립트를 작성하시오.
    ① 만약 **대상 = '어른'**이라면 가격을 '**5000**'만큼 바꾸기 하시오.
    ② 만약 **대상 = '어린이'**라면 가격을 '**3000**'만큼 바꾸기 하시오.

유의사항

보기블록 스프라이트에 주어진 블록만 이용하시오.
그렇지 않은 경우 채점되지 않습니다.
지시사항 이외의 블록을 변경하였을 경우 **"다시풀기"** 버튼을 눌러서 초기화 후 문제를 푸시기 바랍니다.

⚙️ 풀이과정

스프라이트 : **고양이**

문제 보기블록	문제 그림	정답 보기블록
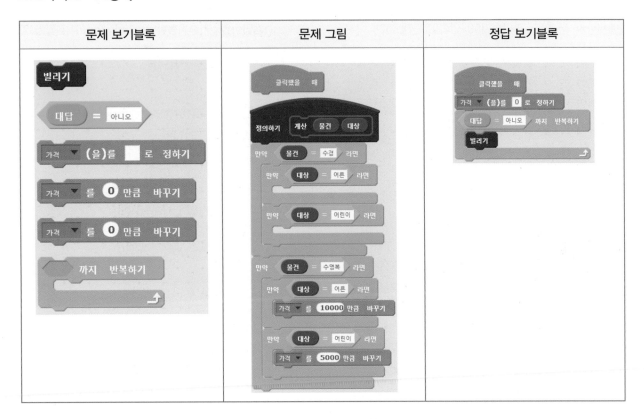		

1. 보기블록 스프라이트를 클릭합니다.
2. 보기블록의 블록을 아래와 같이 조립하여 고양이 스프라이트로 복 사합니다.

3. 🏳 클릭했을 때 아래에 조립합니다.
4. 보기블록의 블록을 아래와 같이 조립하여 고양이 스프라이트로 복 사합니다.

5. 만약 대상 = '어른'이라면 가격을 '5000'만큼 바꾸기 하시오. 만약 대상 = '어린이'라면 가격을 '3000'만큼 바꾸기 하시오.와 같이 조립합니다.
6. 🏳 클릭하여 프로젝트를 실행합니다.

🔍 **TIP** 보기블록 문제시 블록 복사하는 가장 정확한 방법은 보기블록에 주어진 블록을 드래그하면서 흰색 마우스 포인터가 정 확히 복사하고자 하는 스프라이트의 안에 드래그합니다.
만일, 드래그 하는 도중에 블록영역 창으로 드래그하게 되면 보기블록의 블록이 사라지게 됩니다. 블록이 사라지게 되면 "다시 풀기" 버튼 을 클릭하여 문제를 초기화 한 후 문제 풀기를 시작합니다.

기출유형파악하기09-연습01

[예제파일 : 기출유형파악하기09-연습01 문제.sb2]   [정답파일 : 기출유형파악하기09-연습01 정답.sb2]

YBM Coding Specialist

설명

나비가 꽃을 찾아 움직이는 프로그램입니다.

동작과정

1. ▶ 클릭하면
   → 나비가 무작위로 움직입니다.   → 꽃에 나비가 닿으면 꽃이 사라집니다.
   → 꽃이 모두 사라지면 멈춥니다.
2. 프로그램 종료하기

변수설명

▶ **개수**
   꽃을 찾은 개수를 저장하는 변수입니다.

코딩 스프라이트	꽃

지시사항

▶ **복제되었을 때**
1) 다음 지시사항을 순서대로 실행하는 스크립트를 작성하시오.
   ① **나비**에 닿았는가? 까지 기다리기 하시오.   ② 개수 변수를 '**1**'만큼 바꾸기 하시오.
   ③ 숨기기 하시오.

유의사항

보기블록 스프라이트에 주어진 블록만 이용하시오.
그렇지 않은 경우 채점되지 않습니다.
지시사항 이외의 블록을 변경하였을 경우 "**다시풀기**" 버튼을 눌러서 초기화 후 문제를 푸시기 바랍니다.

코딩 스프라이트	나비

지시사항

▶ **꽃 찾기** 추가블록
1) 다음 지시사항을 순서대로 무한 반복하는 스크립트를 작성하시오.
   ① **나비** 스프라이트를 '**15**'만큼 움직이시오.
   ② **나비** 스프라이트가 벽에 닿으면 튕기게 하시오.
   ③ 개수 변수가 '**3**'이면 다음 지시사항을 실행하시오.
      – 스크립트를 모두 멈추기 하시오.

유의사항

보기블록 스프라이트에 주어진 블록만 이용하시오.
그렇지 않은 경우 채점되지 않습니다.
지시사항 이외의 블록을 변경하였을 경우 "**다시풀기**" 버튼을 눌러서 초기화 후 문제를 푸시기 바랍니다.

기출유형파악하기09-연습02

[예제파일 : 기출유형파악하기09-연습02 문제.sb2]　　　　[정답파일 : 기출유형파악하기09-연습02 정답.sb2]

YBM Coding Specialist

설명
볼이 색깔을 바꾸면서 벽돌을 맞추는 프로그램입니다.

동작과정
1. 🏳 클릭하면
　→ 볼이 무작위로 움직입니다.　　　　→ 벽돌에 볼이 닿으면 벽돌이 사라집니다.
　→ 벽돌이 모두 사라지면 멈춥니다.
2. 프로그램 종료하기

변수설명
▶ **개수**
　벽돌을 부순 개수를 저장하는 변수입니다.

코딩 스프라이트	볼

지시사항
▶ **벽돌깨기** 추가블록
1) 다음 지시사항을 순서대로 무한 반복하는 스크립트를 작성하시오.
　① 만약 **막대**에 닿았는가? (이)라면 다음 지시사항을 실행하시오.
　　– '180' – **방향** 도 방향 보기 하시오.
　② 만약 **바닥**에 닿았는가? (이)라면 다음 지시사항을 실행하시오.
　　– '게임종료' 방송하기 하시오.
　　– 이 스크립트 멈추기 하시오.

유의사항
지시사항에서 설명한 블록만 이용하시오.
그렇지 않은 경우 채점되지 않습니다.
지시사항 이외의 블록을 변경하였을 경우 **"다시풀기"** 버튼을 눌러서 초기화 후 문제를 푸시기 바랍니다.

코딩 스프라이트	막대

지시사항
▶ 🏳 클릭했을 때
1) 다음 지시사항을 순서대로 무한 반복하는 스크립트를 작성하시오.
　① x좌표를 **마우스의 x좌표**(으)로 정하기 하시오.

유의사항
지시사항에서 설명한 블록만 이용하시오.
그렇지 않은 경우 채점되지 않습니다.
지시사항 이외의 블록을 변경하였을 경우 **"다시풀기"** 버튼을 눌러서 초기화 후 문제를 푸시기 바랍니다.

기출유형파악하기09-연습03

[예제파일 : 기출유형파악하기09-연습03 문제.sb2]   [정답파일 : 기출유형파악하기09-연습03 정답.sb2]

YBM Coding Specialist

설명
볼링공을 굴리는 속도에 따라 볼링 공이 쓰러지는 볼링 프로그램입니다.

동작과정
1. ▶ 클릭하면
2. 스페이스 키를 누르면 볼링공이 굴러갑니다.
    → 힘에너지가 '10'일 때 공을 굴리면 볼링 핀이 모두 쓰러집니다.
    → 힘에너지가 '7~9'일 때 공을 굴리면 볼링 핀 4개가 쓰러집니다.
    → 그러나 '6' 이하이면 볼링 핀은 쓰러지지 않습니다.
3. 프로그램 종료하기

변수설명

▶ **힘**
  볼링핀을 쓰러트리기 위한 에너지를 저장하는 변수 입니다.

코딩 스프라이트	볼링공

지시사항

▶ **확인1** 메시지를 받았을 때
1) 다음 지시사항을 순서대로 실행하는 스크립트를 작성하시오.
    ① **핀** 스프라이트에 닿았는가? 까지 y좌표를 '10'만큼 바꾸기 하시오.
    ② **모두쓰러지기** 메시지를 방송하기 하시오.

▶ **확인2** 메시지를 받았을 때
1) 다음 지시사항을 순서대로 실행하는 스크립트를 작성하시오.
    ① **핀** 스프라이트에 닿는가? 까지 y좌표를 '5'만큼 바꾸기 하시오.
    ② **네개쓰러지기** 메시지를 방송하기 하시오.

유의사항

지시사항에서 설명한 블록만 이용하시오.
그렇지 않은 경우 채점되지 않습니다.
지시사항 이외의 블록을 변경하였을 경우 **"다시풀기"** 버튼을 눌러서 초기화 후 문제를 푸시기 바랍니다.

기출유형파악하기10

[예제파일 : 기출유형파악하기10문제.sb2]   [정답파일 : 기출유형파악하기10정답.sb2]

YBM Coding Specialist

설명
코돌이가 엄마 심부름으로 정육점에 삼겹살을 사러 가는 프로그램입니다.

동작과정
1. 🏴 클릭하면
   → 스페이스 키를 누르면 코돌이가 움직입니다.
   → 코돌이가 정육점에 도착하면 "미션완료!"를 말합니다.
2. 프로그램 종료하기

코딩 스프라이트	코돌이

상황설명
▶ 현재 프로그램에서는 코돌이가 정육점에 갈 수 없습니다. 왜냐하면 코돌이가 수산시장을 향해 움직이기 때문입니다.

지시사항
▶ **스페이스** 키를 눌렀을 때
1) 코돌이가 정육점에 도착할 수 있도록 필요 없는 명령 블록은 삭제하고 필요한 명령 블록을 추가하여 수정하여 주세요.

유의사항
지시사항에서 설명한 블록만 수정하시오.
그렇지 않은 경우 채점되지 않습니다.
지시사항 이외의 블록을 변경하였을 경우 **"다시풀기"** 버튼을 눌러서 초기화 후 문제를 푸시기 바랍니다.

🔍 풀이과정

스프라이트 : **코돌이**

예제 블록	정답 블록
스페이스 ▼ 키를 눌렀을 때 위쪽으로 한칸 왼쪽으로 한칸 왼쪽으로 한칸 왼쪽으로 한칸 위쪽으로 한칸	스페이스 ▼ 키를 눌렀을 때 위쪽으로 한칸 왼쪽으로 한칸 왼쪽으로 한칸 왼쪽으로 한칸 아래쪽으로 한칸 아래쪽으로 한칸 오른쪽으로 한칸 오른쪽으로 한칸

추가블록	기능
오른쪽으로 한칸	스프라이트가 오른쪽으로 한칸 움직입니다.
왼쪽으로 한칸	스프라이트가 왼쪽으로 한칸 움직입니다.
아래쪽으로 한칸	스프라이트가 아래쪽으로 한칸 움직입니다.
위쪽으로 한칸	스프라이트가 위쪽으로 한칸 움직입니다.

1. 🏳 클릭하고 스페이스키를 누르면 코돌이가 움직입니다.

2. 코돌이는 `위쪽으로 한칸` → `왼쪽으로 한칸` → `왼쪽으로 한칸` → `왼쪽으로 한칸` → `위쪽으로 한칸` 으로 움직여서 수산시장을 향해 갔습니다.

3. 맨 마지막의 `위쪽으로 한칸` 을 삭제한 후 `아래쪽으로 한칸` → `아래쪽으로 한칸` → `오른쪽으로 한칸` → `오른쪽으로 한칸` 추가블록을 추가합니다.

4. 🏳 클릭하여 프로젝트를 실행합니다.

5. 키보드의 스페이스바를 클릭하여 코돌이가 정육점에 도착하는지 확인합니다.

기출유형파악하기10-연습01

[예제파일 : 기출유형파악하기10-연습01 문제.sb2]   [정답파일 : 기출유형파악하기10-연습01 정답.sb2]

YBM Coding Specialist

설명
불가사리가 기차역을 찾아가는 프로그램입니다.

동작과정
1. 🚩 클릭하면
   → 스페이스 키를 누르면 불가사리가 움직입니다.
   → 불가사리가 기차역에 도착하면 '미션완료!'라고 말합니다.
2. 프로그램 종료하기

코딩 스프라이트	불가사리

상황설명
▶ 현재 프로그램에서는 불가사리가 기차역으로 갈 수 없습니다. 왜냐하면 불가사리가 버스터미널을 향해 움직이기 때문입니다.

지시사항
▶ **스페이스** 키를 눌렀을 때
1) 불가사리가 기차역에 갈 수 있도록 필요 없는 명령 블록은 삭제하고 필요한 명령 블록을 추가하여 수정하여 주세요.

유의사항
지시사항에서 설명한 블록만 수정하시오.
그렇지 않은 경우 채점되지 않습니다.
지시사항 이외의 블록을 변경하였을 경우 **"다시풀기"** 버튼을 눌러서 초기화 후 문제를 푸시기 바랍니다.

기출유형파악하기10-연습02

[예제파일 : 기출유형파악하기10-연습02 문제.sb2]   [정답파일 : 기출유형파악하기10-연습02 정답.sb2]

YBM Coding Specialist

설명
테라가 미술학원을 가기 위해 길을 찾는 프로그램입니다.

동작과정
1. 클릭하면
   → 테라가 미술학원을 향해 길을 따라 움직입니다.
   → 테라가 미술학원이 있는 장소에 도착하면 '도착'이라고 말합니다.
2. 프로그램 종료하기

코딩 스프라이트	테라

상황설명

▶ 현재 프로그램에서는 테라가 미술학원에 갈 수 없습니다. 왜냐하면 테라가 태권도학원을 향해 움직이기 때문입니다.

지시사항

▶ **스페이스** 키를 눌렀을 때
1) 테라가 미술학원에 갈 수 있도록 잘못된 명령 블록을 한 개를 삭제하고 올바른 명령 블록을 한 개를 추가하시오.

유의사항

지시사항에서 설명한 블록만 이용하시오.
그렇지 않은 경우 채점되지 않습니다.
지시사항 이외의 블록을 변경하였을 경우 **"다시풀기"** 버튼을 눌러서 초기화 후 문제를 푸시기 바랍니다.

기출유형파악하기10-연습03

[예제파일 : 기출유형파악하기10-연습03 문제.sb2]   [정답파일 : 기출유형파악하기10-연습03 정답.sb2]

YBM Coding Specialist

설명

코돌이가 친구집에 놀러가는 프로그램입니다.

동작과정

1. ▶ 클릭하면
2. 스페이스 키를 누르면
   → 코돌이가 친구집을 향해 길을 따라 움직입니다.
   → 코돌이가 친구집에 도착하면 '안녕'을 말합니다.
3. 프로그램 종료하기

코딩 스프라이트	코돌이

상황설명

▶ 현재 프로그램에서는 코돌이가 친구집에 갈 수 없습니다. 왜냐하면 코돌이가 치킨집을 향해 움직이기 때문입니다.

지시사항

▶ **스페이스** 키를 눌렀을 때
1) 코돌이가 친구집에 갈 수 있도록 아래 명령 블록을 수정하시오.
   필요 없는 명령 블록은 삭제하고 필요한 명령 블록을 추가하여 수정하시오.

유의사항

지시사항에서 설명한 블록만 이용하시오.
그렇지 않은 경우 채점되지 않습니다.
지시사항 이외의 블록을 변경하였을 경우 **"다시풀기"** 버튼을 눌러서 초기화 후 문제를 푸시기 바랍니다.

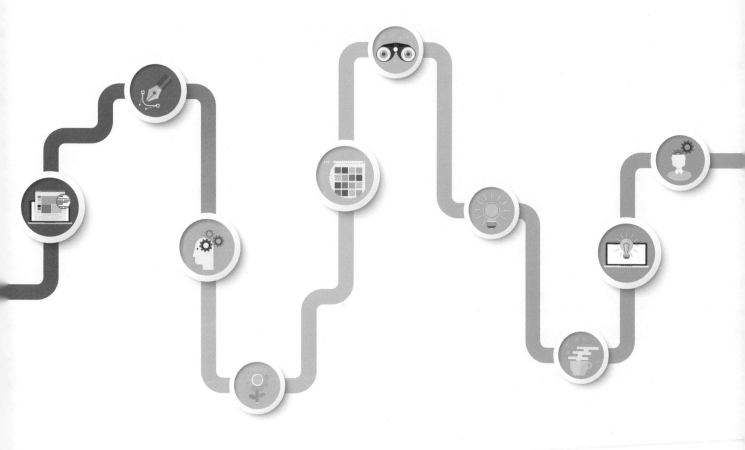

합격모의고사

합격모의고사 1회 1번

[예제파일 : 합격모의고사1회 01 문제.sb2]   [정답파일 : 합격모의고사1회 01 정답.sb2]

YBM Coding Specialist

설명

렌즈로 파란 종이를 태우는 프로그램입니다.

동작과정

1. ⚑ 클릭하면
   → 파란 종이와 렌즈가 보입니다.
   → 마우스로 렌즈를 드래그하여 파란 종이 위로 빛을 쏘이면 파란 종이가 타기 시작합니다.
2. 프로그램 종료하기

코딩 스프라이트	렌즈

지시사항

▶ *⚑ 클릭했을 때*
1) 다음 지시사항을 순서대로 작성하시오.
   ① 맨 앞으로 순서 바꾸기 하시오.
   ② x: '**132**', y: '**74**'로 이동하기 하시오.

유의사항

지시사항에서 설명한 블록만 이용하시오.
그렇지 않은 경우 채점되지 않습니다.
지시사항 이외의 블록을 변경하였을 경우 "**다시풀기**" 버튼을 눌러서 초기화 후 문제를 푸시기 바랍니다.

코딩 스프라이트	빛

지시사항

▶ *⚑ 클릭했을 때*
1) 다음 지시사항을 무한 반복하시오.
   ① **렌즈** 위치로 이동하기 하시오.

유의사항

지시사항에서 설명한 블록만 이용하시오.
그렇지 않은 경우 채점되지 않습니다.
지시사항 이외의 블록을 변경하였을 경우 "**다시풀기**" 버튼을 눌러서 초기화 후 문제를 푸시기 바랍니다.

합격모의고사 1회 2번

[예제파일 : 합격모의고사1회 02 문제.sb2]   [정답파일 : 합격모의고사1회 02 정답.sb2]

YBM Coding Specialist

설명

바닷속에서 복어가 헤엄치는 프로그램입니다.

동작과정

1. ⚑ 클릭하면
   → 복어가 움직입니다.
   → 움직이는 복어를 클릭하면 배가 부풀면서 물위로 떠오릅니다.
   → 잠시후 복어가 다시 헤엄칩니다.

코딩 스프라이트	복어

지시사항

▶ ⚑ *클릭했을 때*
1) 다음 지시사항을 순서대로 작성하시오.
   ① 크기를 '**50**'%로 정하기 하시오.
   ② x: '**−240**'부터 '**240**' 사이의 난수, y: '**−180**'부터 '**180**'사이의 난수로 이동하기 하시오.
   ③ **헤엄** 메시지를 방송하기 하시오.

▶ **수영** 추가블록
1) 다음 지시사항을 순서대로 작성하시오.
   ① '**5**'만큼 움직이기 하시오.
   ② 다음 모양으로 바꾸기 하시오.
   ③ 벽에 닿으면 튕기기 하시오.
   ④ 만약 **모양#** = '**3**' (이)라면 모양을 **복어1**(으)로 바꾸기 하시오.

유의사항

지시사항에서 설명한 블록만 이용하시오.
그렇지 않은 경우 채점되지 않습니다.
지시사항 이외의 블록을 변경하였을 경우 **"다시풀기"** 버튼을 눌러서 초기화 후 문제를 푸시기 바랍니다.

합격모의고사 1회 3번

[예제파일 : 합격모의고사1회 03 문제.sb2]   [정답파일 : 합격모의고사1회 03 정답.sb2]

YBM Coding Specialist

설명

바나나 카드가 순서대로 모양이 바뀌는 프로그램입니다.

동작과정

1. ⚑ 클릭하면
   → 바나나 카드의 모양이 순서대로 바뀝니다.
   → 선택된 카드가 크게 보입니다.
   → 바나나의 색이 녹색으로 보입니다.

코딩 스프라이트	카드

지시사항

▶ **스페이스** 키를 눌렀을 때
1) 다음 지시사항을 순서대로 작성하시오.
   ① 스프라이트의 크기를 '**100**'%로 정하기 하시오.
   ② 색깔 효과를 '**15**'만큼 바꾸기 하시오.
   ③ 스프라이트에 있는 다른 스크립트를 멈추기 하시오.

▶ **바꾸기** 메시지를 받았을 때
1) 다음 지시사항을 무한 반복하기 하시오.
   ① 다음 모양으로 바꾸기 하시오.

유의사항

지시사항에서 설명한 블록만 이용하시오.
그렇지 않은 경우 채점되지 않습니다.
지시사항 이외의 블록을 변경하였을 경우 "**다시풀기**" 버튼을 눌러서 초기화 후 문제를 푸시기 바랍니다.

합격모의고사 1회 4번

[예제파일 : 합격모의고사1회 04 문제.sb2]   [정답파일 : 합격모의고사1회 04 정답.sb2]

YBM Coding Specialist

설명

피코가 공을 차는 프로그램입니다.

동작과정

1. 🏴 클릭하면
    → 피코와 축구공이 화면에 보입니다.
    → 마우스로 축구공을 클릭하면 피코가 움직이면서 축구공을 차게 됩니다.
    → 축구공이 골대를 향해 움직입니다.

코딩 스프라이트	피코

지시사항

▶ 슛 메시지를 받았을 때
1) 다음 지시사항을 순서대로 작성하시오.
    ① '1'초 동안 x: '−110', y: '−75'로 움직이기 하시오.
    ② 피코의 모양을 **pico walk1**로 바꾸기 하시오.
    ③ 0.3초를 기다리기 하시오.
    ④ 피코의 모양을 **pico walk4**로 바꾸기 하시오.

유의사항

보기블록1 스프라이트에 주어진 블록만 이용하시오.
그렇지 않은 경우 채점되지 않습니다.
지시사항 이외의 블록을 변경하였을 경우 **"다시풀기"** 버튼을 눌러서 초기화 후 문제를 푸시기 바랍니다.

코딩 스프라이트	축구공

지시사항

▶ 이 스프라이트가 클릭될 때
1) **슛** 방송하고 기다리기 하시오.
2) '1'초 동안 x: '175', y: '−75'로 움직이기 하시오.

유의사항

보기블록2 스프라이트에 주어진 블록만 이용하시오.
그렇지 않은 경우 채점되지 않습니다.
지시사항 이외의 블록을 변경하였을 경우 **"다시풀기"** 버튼을 눌러서 초기화 후 문제를 푸시기 바랍니다.

합격모의고사 1회 5번

[예제파일 : 합격모의고사1회 05 문제.sb2]   [정답파일 : 합격모의고사1회 05 정답.sb2]

YBM Coding Specialist

설명

피리를 연주하면 항아리에서 개구리가 나오는 프로그램입니다.

동작과정

1. 🚩 클릭하면
   → 피리를 클릭합니다.
   → 항아리에서 개구리가 올라옵니다.

코딩 스프라이트	개구리

지시사항

▶ **연주시작** 메시지를 받았을 때
1) '1'초 동안 좌표위치 x: '0', y: '−5'로 움직이기 하시오.

유의사항

지시사항에서 설명한 블록만 이용하시오.
그렇지 않은 경우 채점되지 않습니다.
지시사항 이외의 블록을 변경하였을 경우 "다시풀기" 버튼을 눌러서 초기화 후 문제를 푸시기 바랍니다.

코딩 스프라이트	피리

지시사항

▶ 이 스프라이트를 클릭했을 때
1) 다음 지시사항을 순서대로 동작하는 스크립트를 작성하시오.
   ① 다음 모양으로 바꾸기 하시오.
   ② 팝을 재생하기 하시오.
   ③ **연주시작** 메시지를 방송하기 하시오.

유의사항

지시사항에서 설명한 블록만 이용하시오.
그렇지 않은 경우 채점되지 않습니다.
지시사항 이외의 블록을 변경하였을 경우 "다시풀기" 버튼을 눌러서 초기화 후 문제를 푸시기 바랍니다.

합격모의고사 1회 6번

[예제파일 : 합격모의고사1회 06 문제.sb2]   [정답파일 : 합격모의고사1회 06 정답.sb2]

ⱯBM Coding Specialist

설명
고양이가 생쥐를 잡는 프로그램입니다.

동작과정
1. ▶ 클릭하면
    → 고양이가 생쥐를 향해 움직입니다.
    → 생쥐를 잡고 난 후 무대 밖으로 사라집니다.

코딩 스프라이트	생쥐

지시사항

▶ ▶ 클릭했을 때
1) 다음 지시사항을 순서대로 작성하시오.
    ① 스프라이트를 보이기 하시오.
    ② 스프라이트의 크기를 '**50**'%로 정하기 하시오.
    ③ 스프라이트를 좌표위치 x: '**-150**'부터 '**220**'사이의 난수, y: '**100**'으로 이동하기 하시오.

▶ **먹음** 메시지를 받았을 때
1) 스프라이트를 숨기기 하시오.

유의사항
지시사항에서 설명한 블록만 이용하시오.
그렇지 않은 경우 채점되지 않습니다.
지시사항 이외의 블록을 변경하였을 경우 "**다시풀기**" 버튼을 눌러서 초기화 후 문제를 푸시기 바랍니다.

합격모의고사 1회 7번

[예제파일 : 합격모의고사1회 07 문제.sb2]

[정답파일 : 합격모의고사1회 07 정답.sb2]

YBM Coding Specialist

설명

휴대폰 배터리 충전에 소요되는 전기 요금을 계산하여 말하는 프로그램입니다.

동작과정

1. 🏳 클릭하면
   → 전기 요금이 올라갑니다.
   → 휴대폰을 무선충전기에서 떼어내면 배터리 충전에 소요된 전기 요금을 말합니다.

변수설명

▶ **요금**
   휴대폰 배터리 충전에 필요한 전기 요금을 저장하는 변수입니다.

코딩 스프라이트	휴대폰

지시사항

▶ **충전중** 추가블록
1) **무선충전기**에 달았는가? 가 아니다 까지 다음 지시사항을 순서대로 반복하는 스크립트를 작성하시오.
   ① **요금**을(를) '**100**'만큼 바꾸기 하시오.
   ② '**0.3**'초 기다리기 하시오.

유의사항

지시사항에서 설명한 블록만 이용하시오.
그렇지 않은 경우 채점되지 않습니다.
지시사항 이외의 블록을 변경하였을 경우 **"다시풀기"** 버튼을 눌러서 초기화 후 문제를 푸시기 바랍니다.

합격모의고사 1회 8번

[예제파일 : 합격모의고사1회 08 문제.sb2]   [정답파일 : 합격모의고사1회 08 정답.sb2]

YBM Coding Specialist

설명
눈을 던져 정해진 시간 안에 펭귄을 맞히는 프로그램입니다.

동작과정

1. ▶ 클릭하기
   → 사람 또는 펭귄이 나타나 왼쪽에서 오른쪽으로 이동합니다.
   → 스페이스키를 누르면 아이가 눈을 던집니다.
   → 펭귄이 눈에 맞으면 점수가 50점 증가하고 사람이 맞으면 점수가 50점 감소합니다.
   → 시간은 20초 지정되면 1초가 지나고 1초씩 감소합니다.
2. 점수가 1000점 이거나 시간이 0이 되면 모든 스크립트는 멈춥니다.
3. 프로그램 종료하기

변수설명

▶ **대상**
   사람 또는 펭귄을 무대에 보여주기 위해 사용하는 변수입니다.
▶ **점수**
   눈으로 사람 또는 펭귄을 맞힐 경우 대상에 따라 점수가 변하는 변수입니다.
▶ **시간**
   게임 시간이면 처음 20초 지정하고 1초가 지나면 1초씩 작아집니다.

코딩 스프라이트	눈

지시사항

▶ *▶ 클릭했을 때*
1) 점수 변수가 '**1000**'이 될 때까지 다음을 반복하시오.
   ① 만약 펭귄 스프라이트에 닿으면
      – 점수 변수를 '**50**' 만큼 바꾸고, 숨기시오.
   ② 만약 사람 스프라이트에 닿으면
      – 점수 변수를 '**–50**' 만큼 바꾸고, 숨기시오

유의사항

보기블록 스프라이트에 주어진 블록만 이용하시오.
그렇지 않은 경우 채점되지 않습니다.
지시사항 이외의 블록을 변경하였을 경우 "**다시풀기**" 버튼을 눌러서 초기화 후 문제를 푸시기 바랍니다.

합격모의고사 1회 9번

[예제파일 : 합격모의고사1회 09 문제.sb2]   [정답파일 : 합격모의고사1회 09 정답.sb2]

YBM Coding Specialist

설명

게 또는 펭귄을 선택하면 고양이가 영어로 동물 이름을 말하는 프로그램입니다.

동작과정

1. ⚑ 클릭하면
2. 게 또는 펭귄을 선택합니다.
   → 고양이가 선택한 동물의 영어 이름을 말합니다.

변수설명

▶ 선택
   펭귄은 '0', 게는 '1'의 값을 가지는 변수입니다.

코딩 스프라이트	고양이

지시사항

▶ '선택완료' 메시지를 받았을 때
1) 선택 변수가 '1'이면 'CRAB'을 말하고, 그렇지 않으면 'PENGUIN'을 말하는 스크립트를 완성하시오.

유의사항

지시사항에서 설명한 블록만 이용하시오.
그렇지 않은 경우 채점되지 않습니다.
지시사항 이외의 블록을 변경하였을 경우 **"다시풀기"** 버튼을 눌러서 초기화 후 문제를 푸시기 바랍니다.

합격모의고사 1회 10번

[예제파일 : 합격모의고사1회 10 문제.sb2]   [정답파일 : 합격모의고사1회 10 정답.sb2]

설명

기가가 기차역을 찾아가는 프로그램입니다.

동작과정

1. 🚩 클릭하면
   → 기가가 기차역를 향해 길을 따라 움직입니다.
   → 기가가 기차역에 도착하면 '미션완료!'라고 말합니다.

코딩 스프라이트	기가

상황설명

▶ 현재 프로그램에서는 기가가 기차역으로 갈 수 없습니다. 왜냐하면 기가가 터미널을 향해 움직이기 때문입니다.

지시사항

▶ **스페이스** 키를 눌렀을 때
1) 기가가 기차역에 갈 수 있도록 필요 없는 명령 블록은 삭제하고 필요한 명령 블록을 추가하여 수정하여 주세요.

유의사항

지시사항에서 설명한 블록만 이용하시오.
그렇지 않은 경우 채점되지 않습니다.
지시사항 이외의 블록을 변경하였을 경우 **"다시풀기"** 버튼을 눌러서 초기화 후 문제를 푸시기 바랍니다.

합격모의고사 2회 1번

[예제파일 : 합격모의고사2회 01 문제.sb2]   [정답파일 : 합격모의고사2회 01 정답.sb2]

YBM Coding Specialist

설명

휴대폰을 무선충전기에 충전시키는 프로그램입니다.

동작과정

1. 🏳 클릭하면
   → 무대에 휴대폰과 무선충전기가 보입니다.
   → 마우스로 휴대폰을 드래그하여 무선충전기 위로 위치시키면 충전이 시작됩니다.

코딩 스프라이트	무선충전기

지시사항

▶ 🏳 *클릭했을 때*
1) 다음 지시사항을 순서대로 작성하시오.
   ① 크기를 '**50**'%로 정하기 하시오.
   ② x: '**130**', y: '**−125**'로 이동하기 하시오.

유의사항

지시사항에서 설명한 블록만 이용하시오.
그렇지 않은 경우 채점되지 않습니다.
지시사항 이외의 블록을 변경하였을 경우 "**다시풀기**" 버튼을 눌러서 초기화 후 문제를 푸시기 바랍니다.

코딩 스프라이트	휴대폰

지시사항

▶ 🏳 *클릭했을 때*
1) 다음 지시사항을 순서대로 작성하시오.
   ① 크기를 '**50**'%로 정하기 하시오.
   ② x: '**−140**', y: '**−85**'로 이동하기 하시오.
   ③ **충전** 메시지를 방송하기 하시오.

유의사항

지시사항에서 설명한 블록만 이용하시오.
그렇지 않은 경우 채점되지 않습니다.
지시사항 이외의 블록을 변경하였을 경우 "**다시풀기**" 버튼을 눌러서 초기화 후 문제를 푸시기 바랍니다.

합격모의고사 2회 2번

[예제파일 : 합격모의고사2회 02 문제.sb2]   [정답파일 : 합격모의고사2회 02 정답.sb2]

설명

날아다니는 잠자리를 잡는 프로그램입니다.

동작과정

1. ⚑ 클릭하면
   → 잠자리가 들판을 날아다닙니다.
   → 움직이는 잠자리를 잠자리채로 클릭하여 잠자리를 잡습니다.

코딩 스프라이트	잠자리채

지시사항

▶ ⚑ 클릭했을 때
1) 다음 지시사항을 순서대로 작성하시오.
   ① 스프라이트를 '00'도 방향 보기 히시오.
   ② 마우스 포인터 위치로 이동하기를 무한 반복하기 하시오.

▶ 이 스프라이트를 클릭했을 때
1) 다음 지시사항을 순서대로 작성하시오.
   ① 다음 지시사항을 '5'번 반복하기 하시오.
      - 왼쪽 방향으로 '15'도 돌기 하시오.
   ② 스프라이트를 '90'도 방향 보기 하시오.

유의사항

지시사항에서 설명한 블록만 이용하시오.
그렇지 않은 경우 채점되지 않습니다.
지시사항 이외의 블록을 변경하였을 경우 **"다시풀기"** 버튼을 눌러서 초기화 후 문제를 푸시기 바랍니다.

합격모의고사 2회 3번

[예제파일 : 합격모의고사2회 03 문제.sb2]   [정답파일 : 합격모의고사2회 03 정답.sb2]

YBM Coding Specialist

설명
한글 '가'–'나'–'다'–'라'–'마' 글자가 순서대로 바뀌는 프로그램입니다.

동작과정

1. 🏴 클릭하면
   → 한글 '가'–'나'–'다'–'라'–'마' 글자가 순서대로 바뀝니다.
   → 글자의 크기와 색상이 바뀌며 움직임을 멈춥니다.

코딩 스프라이트	문자

지시사항

▶ 🏴 **클릭했을 때**
1) 다음 지시사항을 읽고 입력값을 수정하고 명령 블록을 추가하시오.
   ① 스프라이트의 크기를 '50'%로 정하기 하시오.
   ② **색깔** 효과를 '10'으로 정하기 하시오.
   ③ 스프라이트의 모양을 **고**로 바꾸기 하시오.
   ④ 다음 모양으로 바꾸기를 무한 반복하기 하시오.

▶ **스페이스** 키를 눌렀을 때
1) 다음 지시사항을 읽고 입력값을 수정하고 명령 블록을 추가하시오.
   ① 스프라이트의 크기를 '70'%로 정하기 하시오.
   ② 색깔 효과를 '15'만큼 바꾸기 하시오.
   ③ 스프라이트에 있는 다른 스크립트 멈추기 하시오.

유의사항
지시사항에서 설명한 블록만 이용하시오.
그렇지 않은 경우 채점되지 않습니다.
지시사항 이외의 블록을 변경하였을 경우 **"다시풀기"** 버튼을 눌러서 초기화 후 문제를 푸시기 바랍니다.

합격모의고사 2회 4번

[예제파일 : 합격모의고사2회 04 문제.sb2]　　　　　　　　　　　[정답파일 : 합격모의고사2회 04 정답.sb2]

YBM Coding Specialist

설명

클레이 사격 프로그램입니다.

동작과정

1. 🏁 클릭하면
   → 접시가 왼쪽에서 오른쪽으로 움직입니다.
   → 스페이스키를 누르면 총알을 발사합니다.
     ▶ 총알로 접시를 맞추면 점수가 2씩 증가합니다.

변수설명

▶ **점수**
접시를 깬 횟수를 저장하는 변수입니다.

코딩 스프라이트	접시

지시사항

▶ **명중** 메시지를 받았을 때
1) 다음 지시사항을 순서대로 작성하시오.
   ① **점수** 변수를 '**1**'만큼 바꾸기 하시오.　　② 다음 모양으로 바꾸기 하시오.
   ③ '**1**'초 기다리기 하시오.　　　　　　　　④ 이 복제본 삭제하기 하시오.

유의사항

보기블록1 스프라이트에 주어진 블록만 이용하시오.
그렇지 않은 경우 채점되지 않습니다.
지시사항 이외의 블록을 변경하였을 경우 "**다시풀기**" 버튼을 눌러서 초기화 후 문제를 푸시기 바랍니다.

코딩 스프라이트	총알

지시사항

▶ **명중** 메시지를 받았을 때
1) 다음 지시사항을 순서대로 작성하시오.
   ① 스프라이트를 숨기기 하시오.
   ② 스프라이트를 좌표위치 x: '**0**', y: '**-70**'으로 이동하시오.

유의사항

보기블록2 스프라이트에 주어진 블록만 이용하시오.
그렇지 않은 경우 채점되지 않습니다.
지시사항 이외의 블록을 변경하였을 경우 "**다시풀기**" 버튼을 눌러서 초기화 후 문제를 푸시기 바랍니다.

합격모의고사 2회 5번

[예제파일 : 합격모의고사2회 05 문제.sb2]   [정답파일 : 합격모의고사2회 05 정답.sb2]

YBM Coding Specialist

설명

뜀틀을 넘는 프로그램입니다.

동작과정

1. 🏴 클릭하면
   → 뜀틀에 부딪치면 뜀틀이 부서집니다.

코딩 스프라이트	사람

지시사항

▶ **성공** 메시지를 받았을 때
1) 다음 지시사항을 순서대로 작성하시오.
   ① 스프라이트의 모양을 뛰기로 바꾸기 하시오.
   ② 스프라이트를 '1'초 동안 x: '0', y: '50'으로 움직이기 하시오.
   ③ 스프라이트를 '1'초 동안 x: '130', y: '0'으로 움직이기 하시오.
   ④ 스프라이트의 모양을 **걷기**1로 바꾸기 하시오.

▶ **실패** 메시지를 받았을 때
1) 다음 지시사항을 순서대로 작성하시오.
   ① 스프라이트의 모양을 **넘어짐**으로 바꾸기 하시오.
   ② 스크립트를 **모두** 멈추기 하시오.

유의사항

보기블록 스프라이트에 주어진 블록만 이용하시오.
그렇지 않은 경우 채점되지 않습니다.
지시사항 이외의 블록을 변경하였을 경우 **"다시풀기"** 버튼을 눌러서 초기화 후 문제를 푸시기 바랍니다.

합격모의고사 2회 6번

[예제파일 : 합격모의고사2회 06 문제.sb2]   [정답파일 : 합격모의고사2회 06 정답.sb2]

YBM Coding Specialist

설명
상어가 생선을 먹는 프로그램입니다.

동작과정

1. 🚩 클릭하면
   → 상어가 생선을 향해 움직입니다.
   → 생선을 먹고 난 후 헤엄쳐서 무대 밖으로 이동합니다.

코딩 스프라이트	생선

지시사항

▶ 🚩 *클릭했을 때*
1) 다음 지시사항을 순서대로 작성하시오.
   ① 스프라이트를 보이기 하시오.
   ② 스프라이트의 크기를 '**15**'%로 정하기 하시오.
   ③ 스프라이트를 좌표위치 x: '**−150**'부터 '**200**'사이의 난수, y: '**100**'으로 이동하기 하시오.

▶ **먹음** 메시지를 받았을 때
1) 스프라이트를 숨기기 하시오.

유의사항

지시사항에서 설명한 블록만 이용하시오.
그렇지 않은 경우 채점되지 않습니다.
지시사항 이외의 블록을 변경하였을 경우 "**다시풀기**" 버튼을 눌러서 초기화 후 문제를 푸시기 바랍니다.

합격모의고사 2회 7번

[예제파일 : 합격모의고사2회 07 문제.sb2]   [정답파일 : 합격모의고사2회 07 정답.sb2]

YBM Coding Specialist

설명

사자 목에 방울을 다는 프로그램입니다.

동작과정

1. 🚩 클릭하면
   → 사자가 눈을 뜨고 있을 때 방울을 달면 '실패'를 말합니다.
   → 사자가 낮잠을 잘 때 방울을 달면 '성공'을 말합니다.

코딩 스프라이트	사자

지시사항

▶ **낮잠** 추가블록
1) 만약 **사자** 스프라이트에 **방울** 스프라이트가 닿으면 다음 지시사항이 순서대로 실행되도록 스크립트를 작성하시오.
   ① **'성공!'**말하기를 하시오.
   ② 스프라이트에 있는 다른 스크립트를 멈추기 하시오.

유의사항

지시사항에서 설명한 블록만 이용하시오.
그렇지 않은 경우 채점되지 않습니다.
지시사항 이외의 블록을 변경하였을 경우 **"다시풀기"** 버튼을 눌러서 초기화 후 문제를 푸시기 바랍니다.

합격모의고사 2회 8번

[예제파일 : 합격모의고사2회 08 문제.sb2]   [정답파일 : 합격모의고사2회 08 정답.sb2]

YBM Coding Specialist

설명
놀부가 도깨비를 피해 도망가는 프로그램입니다.

동작과정
1. 🚩 클릭하면
   → 도깨비가 놀부를 쫓아다닙니다.
   → 도깨비가 놀부를 잡으면, 도깨비를 피해 다닌 총 시간을 말합니다.

코딩 스프라이트	도깨비

지시사항

▶ **놀부잡기** 추가블록
1) **도깨비** 스프라이트가 **놀부** 스프라이트에 닿을 때까지 다음 지시사항을 순서대로 반복하기 하시오.
   ① 놀부 쪽 보기 하시오.
   ② '3'만큼 움직이기 하시오.

▶ **종료** 메시지를 받았을 때
1) 다음 지시사항을 순서대로 작성하시오.
   ① 타이머를 '1'초 동안 말하기 하시오.
   ② 스크립트를 모두 멈추기 하시오.

유의사항

보기블록 스프라이트에 주어진 블록만 이용하시오.
그렇지 않은 경우 채점되지 않습니다.
지시사항 이외의 블록을 변경하였을 경우 **"다시풀기"** 버튼을 눌러서 초기화 후 문제를 푸시기 바랍니다.

합격모의고사 2회 9번

[예제파일 : 합격모의고사2회 09 문제.sb2]   [정답파일 : 합격모의고사2회 09 정답.sb2]

YBM Coding Specialist

설명

볼링 프로그램입니다.

동작과정

1. 🏴 클릭하면
   → 힘에너지가 '10'일 때 공을 굴리면 볼링핀이 모두 쓰러집니다.
   → 힘에너지가 '7~9'일 때 공을 굴리면 볼링핀 4개가 쓰러집니다.
   → 힘에너지가 '6'이하이면 볼링핀은 쓰러지지 않습니다.

변수설명

▶ **힘**
   볼링핀을 쓰러트리기 위한 에너지를 저장하는 변수입니다.

코딩 스프라이트	볼링공

지시사항

▶ **스페이스** 키를 눌렀을 때
1) **힘** 변수가 '**10**'이면 볼링핀이 모두 쓰러지도록 스크립트를 수정하시오.

유의사항

지시사항에서 설명한 블록만 이용하시오.
그렇지 않은 경우 채점되지 않습니다.
지시사항 이외의 블록을 변경하였을 경우 **"다시풀기"** 버튼을 눌러서 초기화 후 문제를 푸시기 바랍니다.

코딩 스프라이트	힘게이지

지시사항

▶ *🏴 클릭했을 때*
1) 힘게이지의 모양이 '**0.3**'초마다 바뀌도록 스크립트를 수정하시오.

유의사항

지시사항에서 설명한 블록만 이용하시오.
그렇지 않은 경우 채점되지 않습니다.
지시사항 이외의 블록을 변경하였을 경우 **"다시풀기"** 버튼을 눌러서 초기화 후 문제를 푸시기 바랍니다.

합격모의고사 2회 10번

[예제파일 : 합격모의고사2회 10 문제.sb2]   [정답파일 : 합격모의고사2회 10 정답.sb2]

YBM Coding Specialist

설명
강아지가 PC방을 가기 위해 길을 찾는 프로그램입니다.

동작과정

1. 🚩 클릭하면
    → 강아지가 PC방을 향해 길을 따라 움직입니다.
    → 강아지가 PC방이 있는 장소에 도착하면 '미션 완료!'라고 말합니다.

코딩 스프라이트	강아지

상황설명

▶ 현재 프로그램에서는 강아지가 PC방에 갈 수 없습니다. 왜냐하면 강아지가 햄버거집을 향해 움직이기 때문입니다.

지시사항

▶ **스페이스** 키를 눌렀을 때
1) 강아지가 PC방에 갈 수 있도록 필요 없는 명령 블록은 삭제하고 필요한 명령 블록을 추가하여 수정하여 주세요.

유의사항

지시사항에서 설명한 블록만 이용하시오.
그렇지 않은 경우 채점되지 않습니다.
지시사항 이외의 블록을 변경하였을 경우 **"다시풀기"** 버튼을 눌러서 초기화 후 문제를 푸시기 바랍니다.

합격모의고사 3회 1번

[예제파일 : 합격모의고사3회 01 문제.sb2]　　　　　[정답파일 : 합격모의고사3회 01 정답.sb2]

YBM Coding Specialist

설명

부채모양 팔레트에 물감을 섞는 프로그램입니다.

동작과정

1. 🚩 클릭하면
   → 무대에 부채모양의 팔레트와 물감이 보입니다.
   → 마우스로 물감을 선택하여 색을 섞습니다.
2. 프로그램 종료하기

변수설명

▶ **노랑**
　노란색을 저장하고 있는 변수입니다.
▶ **자홍**
　자홍색을 저장하고 있는 변수입니다.
▶ **청록**
　청록색을 저장하고 있는 변수입니다.

코딩 스프라이트	물감

지시사항

▶ 물감복제 추가블록
1) 다음 지시사항을 순서대로 '2'번 반복하시오.
　① 나 자신을 복제하기 하시오.　　② x좌표를 '50'만큼 바꾸기 하시오.
　③ y좌표를 '30'만큼 바꾸기 하시오.　④ 다음 모양으로 바꾸기 하시오.

유의사항

지시사항에서 설명한 블록만 이용하시오.
그렇지 않은 경우 채점되지 않습니다.
지시사항 이외의 블록을 변경하였을 경우 **"다시풀기"** 버튼을 눌러서 초기화 후 문제를 푸시기 바랍니다.

코딩 스프라이트	색

지시사항

▶ 🚩 클릭했을 때
1) 숨기기 하시오.
2) x: '-10', y: '-130'으로 이동하기 하시오.
3) 크기를 '60'으로 정하기 하시오.
4) 다음 지시사항을 순서대로 무한 반복하시오.
　① **색상** 추가블록을 실행하시오.

유의사항

지시사항에서 설명한 블록만 이용하시오.
그렇지 않은 경우 채점되지 않습니다.
지시사항 이외의 블록을 변경하였을 경우 **"다시풀기"** 버튼을 눌러서 초기화 후 문제를 푸시기 바랍니다.

합격모의고사 3회 2번

[예제파일 : 합격모의고사3회 02 문제.sb2]   [정답파일 : 합격모의고사3회 02 정답.sb2]

YBM Coding Specialist

설명
주어진 예시를 이용하여 네 자리의 자연수를 계산하는 프로그램입니다.

동작과정
1. 🚩 클릭하면
   → 주어진 예시의 수식을 이용하여 '5678'을 계산합니다.
   → 고양이가 계산 결과 5-(6+7+8)의 절대값 '16'을 말합니다.
2. 프로그램 종료하기

변수설명

▶ **결과**
   계산 결과를 저장하는 변수입니다.

코딩 스프라이트	고양이

지시사항

▶ **계산** 추가블록
1) N 변수의 값을 입력의 1번째 숫자로 정하시오.
2) 합 변수의 값을 입력의 2번째 숫자 + 입력의 3번째 숫자 + 입력의 4번째 숫자 더한 값으로 정하시오.
3) 결과 변수의 값은 N변수 – 합 변수의 절대값으로 정하기 하시오.

유의사항

지시사항에서 설명한 블록만 이용하시오.
그렇지 않은 경우 채점되지 않습니다.
지시사항 이외의 블록을 변경하였을 경우 **"다시풀기"** 버튼을 눌러서 초기화 후 문제를 푸시기 바랍니다.

합격모의고사 3회 3번

[예제파일 : 합격모의고사3회 03 문제.sb2]   [정답파일 : 합격모의고사3회 03 정답.sb2]

YBM Coding Specialist

설명

자연수 1부터 50까지의 숫자 중 3의 배수인 숫자를 가려내는 프로그램입니다.

동작과정

1. 🏴 클릭하면
   → 고양이가 1부터 50까지의 숫자를 차례대로 말합니다.
      ▶ 숫자가 3의 배수인 경우에는 '**3의 배수입니다.**'를 말합니다.
2. 프로그램 종료하기

변수설명

▶ N
   숫자를 세기 위해 사용하는 변수입니다.

코딩 스프라이트	고양이

지시사항

▶ 🏴 클릭했을 때
1) 다음 지시사항을 순서대로 작성하시오.
   ① N를 0으로 정하기 하시오.
   ② '**1~50 까지의 자연수 중에서 3의 배수를 찾아내는 프로그램입니다.**'를 2초 동안 말하기 하시오.
   ③ N를 50이 될 때가지 N를 1만큼 바꾸기 하시오.

유의사항

지시사항에서 설명한 블록만 이용하시오.
그렇지 않은 경우 채점되지 않습니다.
지시사항 이외의 블록을 변경하였을 경우 "**다시풀기**" 버튼을 눌러서 초기화 후 문제를 푸시기 바랍니다.

합격모의고사 3회 4번

[예제파일 : 합격모의고사3회 04 문제.sb2]　　　　　　　　　　[정답파일 : 합격모의고사3회 04 정답.sb2]

YBM Coding Specialist

설명

게이트볼 게임을 하는 프로그램입니다.

동작과정

1. ⚑ 클릭하면
   → 스페이스바를 누르면 게이트볼 채가 움직입니다.
   → 게이트볼 채에 공이 맞으면 움직입니다.
   ▶ 공이 게이트 구간을 지나면 '게임성공'이라고 나옵니다.
   ▶ 공이 게이트에 닿으면 공이 멈춥니다.
2. 프로그램 종료하기

코딩 스프라이트	게이트볼

지시사항

▶ **타격** 메시지를 받았을 때
1) 다음 지시사항을 '15'번 반복하시오.
   ① y좌표를 '10'만큼 바꾸기 하시오.
   ② **성공** 방송하기 하시오.

유의사항

지시사항에서 설명한 블록만 이용하시오.
그렇지 않은 경우 채점되지 않습니다.
지시사항 이외의 블록을 변경하였을 경우 **"다시풀기"** 버튼을 눌러서 초기화 후 문제를 푸시기 바랍니다.

코딩 스프라이트	골인지점

지시사항

▶ **성공** 메시지를 받았을 때
1) '**게임성공**' 말하기 하시오.

유의사항

지시사항에서 설명한 블록만 이용하시오.
그렇지 않은 경우 채점되지 않습니다.
지시사항 이외의 블록을 변경하였을 경우 **"다시풀기"** 버튼을 눌러서 초기화 후 문제를 푸시기 바랍니다.

합격모의고사 3회 5번

[예제파일 : 합격모의고사3회 05 문제.sb2]   [정답파일 : 합격모의고사3회 05 정답.sb2]

YBM Coding Specialist

설명
사람이 허들을 넘는 프로그램입니다.

동작과정
1. 🏳 클릭하면
   → 스페이스 키를 누르면 사람이 허들을 넘습니다.
   → 허들을 넘지 못하면 사람이 움직이지 못합니다.
2. 프로그램 종료하기

코딩 스프라이트	사람

지시사항

▶ **스페이스** 키를 눌렀을 때
1) 다음 지시사항을 순서대로 작성하시오.
   ① 모양을 뛰기로 바꾸기 하시오.
   ② '0.5'초 동안 x: '−180', y: '150'으로 움직이기 하시오.
   ③ '0.5'초 동안 x: '−180', y: '−100'으로 움직이기 하시오.
   ④ 모양을 **준비**로 바꾸기 하시오.

▶ **실패** 메시지를 받았을 때
1) 다음 지시사항을 순서대로 작성하시오.
   ① 모양을 **넘어짐**으로 바꾸기 하시오.
   ② 모두 멈추기 하시오.

유의사항
지시사항에서 설명한 블록만 이용하시오.
그렇지 않은 경우 채점되지 않습니다.
지시사항 이외의 블록을 변경하였을 경우 **"다시풀기"** 버튼을 눌러서 초기화 후 문제를 푸시기 바랍니다.

합격모의고사 3회 6번

[예제파일 : 합격모의고사3회 06 문제.sb2]　　　　　　　　　　　[정답파일 : 합격모의고사3회 06 정답.sb2]

YBM Coding Specialist

설명
말이 당근을 먹는 프로그램입니다.

동작과정
1. ⚑ 클릭하면
2. 말과 당근이 나타납니다.
   → 말이 당근을 향해 움직입니다.
   → 당근을 먹고 난 후 무대 밖으로 사라집니다.
3. 프로그램 종료하기

코딩 스프라이트	말

지시사항

▶ **이동** 추가블록
1) 벽에 닿았는가 까지 다음 지시사항을 순서대로 작성 하시오.
   ① '10'만큼 움직이기 하시오.
   ② 다음 모양으로 바꾸기 하시오.
2) 숨기기 하시오.

유의사항

보기블록1 스프라이트에 주어진 블록만 이용하시오.
그렇지 않은 경우 채점되지 않습니다.
지시사항 이외의 블록을 변경하였을 경우 **"다시풀기"** 버튼을 눌러서 초기화 후 문제를 푸시기 바랍니다.

코딩 스프라이트	당근

지시사항

▶ ⚑ 클릭했을 때
1) 다음 지시사항을 순서대로 작성하시오.
   ① 보이기 하시오.
   ② 크기를 '20'으로 정하기 하시오.
   ③ x: '-150'부터 '220' 사이의 난수, y: '-120'부터 '160' 사이의 난수로 이동하기 하시오.

유의사항

보기블록2 스프라이트에 주어진 블록만 이용하시오.
그렇지 않은 경우 채점되지 않습니다.
지시사항 이외의 블록을 변경하였을 경우 **"다시풀기"** 버튼을 눌러서 초기화 후 문제를 푸시기 바랍니다.

합격모의고사 3회 7번

[예제파일 : 합격모의고사3회 07 문제.sb2]   [정답파일 : 합격모의고사3회 07 정답.sb2]

YBM Coding Specialist

설명
윷놀이 하는 프로그램입니다.

동작과정

1. 🏳 클릭하면
   → 스페이스 키를 누르면 윷을 던집니다.
   → 윷의 모양이 도, 개, 걸, 윷, 모 중 한 가지 모양으로 보입니다.
2. 프로그램 종료하기

변수설명

▶ **모양**
   윷의 앞면 또는 뒷면을 보여주기 위해 사용하는 변수입니다.
▶ **회전**
   윷이 회전하는 방향을 설정하기 위해 사용하는 변수입니다.

코딩 스프라이트	윷

지시사항

▶ **복제되었을 때**
1) 다음 지시사항을 읽고 윷 스프라이트가 복제되도록 스크립트를 완성하시오.
   ① 만약 모양 변수가 '1' 이면 윷 스프라이트를 '윷1' 모양으로 바꾸시오.
   ② 만약 모양 변수가 '2' 이면 윷 스프라이트를 '윷2' 모양으로 바꾸시오.

▶ **스페이스 키를 눌렀을 때**
1) 만약 회전 변수가 '1'이면 오른쪽 방향으로 '2'부터 '20' 사이의 난수 각도로 돌게 하시오.
2) 만약 회전 변수가 '2'이면 왼쪽 방향으로 '2'부터 '20' 사이의 난수 각도로 돌게 하시오.

유의사항

지시사항에서 설명한 블록만 이용하시오.
그렇지 않은 경우 채점되지 않습니다.
지시사항 이외의 블록을 변경하였을 경우 **"다시풀기"** 버튼을 눌러서 초기화 후 문제를 푸시기 바랍니다.

합격모의고사 3회 8번

[예제파일 : 합격모의고사3회 08 문제.sb2]   [정답파일 : 합격모의고사3회 08 정답.sb2]

YBM Coding Specialist

설명

옷을 구분하는 프로그램입니다.

동작과정

1. ⚑ 클릭하면.
   → 흰옷과 색깔 있는 옷이 있습니다
2. 옷을 드래그하여 맞는 곳에 위치시킵니다.
   → 올바른 위치에 두면 점수가 '1'점 오릅니다.
   → 올바른 위치에 두지 않으면 점수가 오르지 않습니다.
3. 프로그램 종료하기

변수설명

▶ **점수**
   점수를 저장하는 변수입니다.

코딩 스프라이트	흰옷빨래통

지시사항

▶ ⚑ **클릭했을 때**
1) 만약 흰옷에 닿았는가 라면 다음 지시사항을 순서대로 작성하시오.
   ① 점수를 '**1**'만큼 바꾸기 하시오.   ② **흰옷** 방송하고 기다리기 하시오.

유의사항

지시사항에서 설명한 블록만 이용하시오.
그렇지 않은 경우 채점되지 않습니다.
지시사항 이외의 블록을 변경하였을 경우 "**다시풀기**" 버튼을 눌러서 초기화 후 문제를 푸시기 바랍니다.

코딩 스프라이트	흰옷

지시사항

▶ **흰옷** 메시지를 받았을 때
1) 다음 지시사항을 순서대로 작성하시오.
   ① 다음 모양으로 바꾸기 하시오.   ② x: '**-80**', y: '**-50**'으로 이동하기 하시오.

유의사항

지시사항에서 설명한 블록만 이용하시오.
그렇지 않은 경우 채점되지 않습니다.
지시사항 이외의 블록을 변경하였을 경우 "**다시풀기**" 버튼을 눌러서 초기화 후 문제를 푸시기 바랍니다.

합격모의고사 3회 9번

[예제파일 : 합격모의고사3회 09 문제.sb2]   [정답파일 : 합격모의고사3회 09 정답.sb2]

설명
스키장에서 물건을 빌리는 프로그램입니다.

동작과정
1. 🏳 클릭하면
2. 빌릴 수 있는 물품이 리스트에 나와 있습니다.
    → 빌릴 물건을 입력합니다.
    → 대상을 입력합니다.
3. 더 빌릴 물건이 있는지 물어봅니다.
    → 대답이 '아니오'가 아니면 다시 빌릴 물건을 물어봅니다.
4. 프로그램 종료하기

변수설명

▶ **가격**
   총 가격을 저장하는 변수입니다.
▶ **대상**
   물건을 빌릴 대상을 저장하는 변수입니다.
▶ **물건**
   빌릴 물건을 저장하는 변수입니다.

코딩 스프라이트	고양이

지시사항

▶ 🏳 *클릭했을 때*
1) 다음 지시사항을 순서대로 작성하시오.
    ① **가격**을 '0'으로 정하기 하시오.
    ② **대답 = '아니오'** 까지 **빌리기** 추가블록을 반복하기 하시오.

▶ **계산 추가블록**
1) 만약 **물건** 매개변수가 '**스키복**'이라면 다음 지시사항을 순서대로 작성하시오.
    ① 만약 **대상 = '어른'**이라면 **가격**을 '10000' 만큼 바꾸기 하시오.
    ② 만약 **대상 = '어린이'**라면 **가격**을 '5000' 만큼 바꾸기 하시오.

유의사항

보기블록 스프라이트에 주어진 블록만 이용하시오.
그렇지 않은 경우 채점되지 않습니다.
지시사항 이외의 블록을 변경하였을 경우 **"다시풀기"** 버튼을 눌러서 초기화 후 문제를 푸시기 바랍니다.

합격모의고사 3회 10번

[예제파일 : 합격모의고사3회 10 문제.sb2]

[정답파일 : 합격모의고사3회 10 정답.sb2]

YBM Coding Specialist

설명

코돌이가 태권도학원을 가기 위해 길을 찾는 프로그램입니다.

동작과정

1. 🏳 클릭하면
2. 스페이스 키를 누르면
   → 코돌이가 태권도학원을 향해 길을 따라 움직입니다.
   → 코돌이가 태권도학원이 있는 장소에 도착하면 '도착'을 말합니다.
3. 프로그램 종료하기

코딩 스프라이트	코돌이

상황설명

▶ 현재 프로그램에서는 코돌이가 태권도학원에 갈 수 없습니다. 왜냐하면 코돌이가 PC방을 향해 움직이기 때문입니다.

지시사항

▶ **스페이스** 키를 눌렀을 때
1) 코돌이가 태권도학원에 갈 수 있도록 필요 없는 명령 블록은 삭제하고 필요한 명령 블록을 추가하여 수정하여 주세요.

유의사항

지시사항에서 설명한 블록만 이용하시오.
그렇지 않은 경우 채점되지 않습니다.
지시사항 이외의 블록을 변경하였을 경우 **"다시풀기"** 버튼을 눌러서 초기화 후 문제를 푸시기 바랍니다.

합격모의고사 4회 1번

[예제파일 : 합격모의고사4회 01 문제.sb2]   [정답파일 : 합격모의고사4회 01 정답.sb2]

YBM Coding Specialist

설명

수조에 잉크를 섞는 프로그램입니다.

동작과정

1. 🚩 클릭하면
   → 무대에 수조와 잉크가 보입니다.
   → 마우스로 잉크를 선택하여 수조에 잉크를 섞습니다.
2. 프로그램 종료하기

코딩 스프라이트	잉크

지시사항

▶ **복제** 추가블록
1) 다음 지시사항을 순서대로 '2'번 반복하시오.
   ① 나 자신 복제하기 하시오.
   ② x좌표를 '120'만큼 바꾸기 하시오.
   ③ 다음 모양으로 바꾸기 하시오.

유의사항

지시사항에서 설명한 블록만 이용하시오.
그렇지 않은 경우 채점되지 않습니다.
지시사항 이외의 블록을 변경하였을 경우 **"다시풀기"** 버튼을 눌러서 초기화 후 문제를 푸시기 바랍니다.

코딩 스프라이트	물

지시사항

▶ 🚩 *클릭했을 때*
1) 숨기기 하시오.
2) x: '0', y: '−120'으로 이동하기 하시오.
3) 크기를 '110'%로 정하기 하시오.
4) 다음 지시사항을 순서대로 무한반복하시오.
   ① 맨 앞으로 순서를 바꾸기 하시오.
   ② **색상** 추가블록을 실행하시오.

유의사항

지시사항에서 설명한 블록만 이용하시오.
그렇지 않은 경우 채점되지 않습니다.
지시사항 이외의 블록을 변경하였을 경우 **"다시풀기"** 버튼을 눌러서 초기화 후 문제를 푸시기 바랍니다.

합격모의고사 4회 2번

[예제파일 : 합격모의고사4회 02 문제.sb2]　　　　　　　　　[정답파일 : 합격모의고사4회 02 정답.sb2]

YBM Coding Specialist

설명

그물망으로 갈매기를 잡는 프로그램입니다.

동작과정

1. 🏳 클릭하면
   → 갈매기가 하늘을 날아다닙니다.
   → 돌아다니는 갈매기를 그물망으로 잡으면 프로그램이 종료됩니다.

코딩 스프라이트	그물망

지시사항

▶ 🏳 *클릭했을 때*

1) 다음 지시사항을 순서대로 무한 반복하는 스크립트를 작성하시오.
   ① 맨 앞으로 순서 바꾸기 하시오.
   ② 마우스 포인터 위치로 이동하기 하시오.
   ③ 만약 **그물망** 스프라이트가 **갈매기**에 닿았다면 다음 지시사항을 스크립트로 작성하시오.
      – '0.1'초 기다리기 하시오.
      – 모두 멈추기 하시오.

유의사항

지시사항에서 설명한 블록만 이용하시오.
그렇지 않은 경우 채점되지 않습니다.
지시사항 이외의 블록을 변경하였을 경우 **"다시풀기"** 버튼을 눌러서 초기화 후 문제를 푸시기 바랍니다.

합격모의고사 4회 3번

[예제파일 : 합격모의고사4회 03 문제.sb2]   [정답파일 : 합격모의고사4회 03 정답.sb2]

YBM Coding Specialist

설명

ㅏ ~ ㅕ 모음이 순서대로 바뀌는 프로그램입니다.

동작과정

1. 🏳 클릭하면
   → ㅏ ~ ㅕ 모음이 순서대로 바뀝니다.
2. 스페이스키를 누릅니다.
   → ㅏ ~ ㅕ 모음이 멈춥니다.
   → 모음이 멈추면 크기와 색깔이 바뀝니다.
3. 프로그램 종료하기

코딩 스프라이트	모음

지시사항

▶ **스페이스** 키를 눌렀을 때
1) 다음 지시사항을 순서대로 작성하시오.
   ① 스프라이트의 크기를 '**20**'만큼 바꾸기 하시오.
   ② **색깔** 효과를 '**50**'만큼 바꾸기 하시오.
   ③ 스프라이트에 있는 다른 스크립트를 멈추기 하시오.

▶ **바꾸기** 메시지를 받았을 때
1) 다음 지시사항을 무한 반복하기 하시오.
   ① 다음 모양으로 바꾸기 하시오.
   ② '**0.3**'초 기다리게 하시오.

유의사항

지시사항에서 설명한 블록만 이용하시오.
그렇지 않은 경우 채점되지 않습니다.
지시사항 이외의 블록을 변경하였을 경우 **"다시풀기"** 버튼을 눌러서 초기화 후 문제를 푸시기 바랍니다.

합격모의고사 4회 4번

[예제파일 : 합격모의고사4회 04 문제.sb2]　　　　　　　　　[정답파일 : 합격모의고사4회 04 정답.sb2]

YBM Coding Specialist

설명

컬링 게임을 하는 프로그램입니다.

동작과정

1. 🚩 클릭하면
   - → 마우스를 드래그하여 컬링채를 움직입니다.
   - → 컬링공이 컬링채 방향으로 옵니다.
     - ▶ 스페이스바를 누르면 공이 멈춥니다.
     - ▶ 공이 지정된 원 안에 들어오면 '게임성공'이라고 나옵니다.
     - ▶ 공이 지정된 원을 지나가면 공이 멈춥니다.
2. 프로그램 종료하기

코딩 스프라이트	컬링스톤

지시사항

▶ 🚩 클릭했을 때
1) 만약 마우스를 클릭했는가라면 다음 지시사항을 스크립트로 작성하시오.
   ① **브러시/브룸** 쪽 보기 하시오.
   ② **'10'**만큼 움직이기 하시오.

유의사항

지시사항에서 설명한 블록만 이용하시오.
그렇지 않은 경우 채점되지 않습니다.
지시사항 이외의 블록을 변경하였을 경우 **"다시풀기"** 버튼을 눌러서 초기화 후 문제를 푸시기 바랍니다.

코딩 스프라이트	골인지점

지시사항

▶ 🚩 클릭했을 때
1) 만약 컬링스톤에 닿았는가라면 다음 지시사항을 스크립트로 작성하시오.
   ① 2번째로 물러나기　　　　　　② **'게임성공'** 말하기 하시오.
   ③ **'1'**초 기다리기 하시오.　　　④ 모두 멈추기 하시오.

유의사항

지시사항에서 설명한 블록만 이용하시오.
그렇지 않은 경우 채점되지 않습니다.
지시사항 이외의 블록을 변경하였을 경우 **"다시풀기"** 버튼을 눌러서 초기화 후 문제를 푸시기 바랍니다.

합격모의고사 4회 5번

[예제파일 : 합격모의고사4회 05 문제.sb2]   [정답파일 : 합격모의고사4회 05 정답.sb2]

YBM Coding Specialist

설명

사람이 높이뛰기를 하는 프로그램입니다.

동작과정

1. 🚩 클릭하면
2. 스페이스 키를 누르면 사람이 높이뛰기 봉을 넘습니다.
   → 봉을 넘지 못하면 프로그램이 종료됩니다.
3. 프로그램 종료하기

코딩 스프라이트	사람

지시사항

▶ **스페이스** 키를 눌렀을 때

1) 다음 지시사항을 순서대로 작성하시오.
   ① 다음 모양으로 바꾸기 하시오.
   ② '0.5'초 동안 x: '−180', y: '180'으로 움직이기 하시오.
   ③ '1'초 동안 x: '−180', y: '−80'으로 움직이기 하시오.
   ④ 다음 모양으로 바꾸기 하시오.

유의사항

지시사항에서 설명한 블록만 이용하시오.
그렇지 않은 경우 채점되지 않습니다.
지시사항 이외의 블록을 변경하였을 경우 **"다시풀기"** 버튼을 눌러서 초기화 후 문제를 푸시기 바랍니다.

코딩 스프라이트	높이뛰기

지시사항

▶ 🚩 클릭했을 때

1) 만약 높이뛰기 스프라이트가 벽에 닿았는가 라면 다음 지시사항을 순서대로 작성하시오.
   ① x: '210', y: '−50'으로 이동하기 하시오.
   ② '1'초 기다리기 하시오.

유의사항

지시사항에서 설명한 블록만 이용하시오.
그렇지 않은 경우 채점되지 않습니다.
지시사항 이외의 블록을 변경하였을 경우 **"다시풀기"** 버튼을 눌러서 초기화 후 문제를 푸시기 바랍니다.

합격모의고사 4회 6번

[예제파일 : 합격모의고사4회 06 문제.sb2]   [정답파일 : 합격모의고사4회 06 정답.sb2]

YBM Coding Specialist

설명
용이 양탄자를 피해 날아다니는 프로그램입니다.

동작과정
1. ▶ 클릭하면
   → 용이 무대를 날아다닙니다.
   → 용이 양탄자에 닿으면 'owl'소리를 내며 용이 사라집니다.
2. 프로그램 종료하기

변수설명

▶ **방향**
   용이 날아가는 방향을 정하기 위해 사용하는 변수입니다.

코딩 스프라이트	용

지시사항

▶ **양탄자 메시지를 받았을 때**
1) 양탄자 스프라이트에 닿을 때까지 다음 지시사항을 순서대로 반복하시오.
   ① 용 스프라이트를 다음 모양으로 바꾸시오.
   ② '0.2'초 기다리시오.

유의사항

지시사항에서 설명한 블록만 이용하시오.
그렇지 않은 경우 채점되지 않습니다.
지시사항 이외의 블록을 변경하였을 경우 **"다시풀기"** 버튼을 눌러서 초기화 후 문제를 푸시기 바랍니다.

합격모의고사 4회 7번

[예제파일 : 합격모의고사4회 07 문제.sb2]   [정답파일 : 합격모의고사4회 07 정답.sb2]

YBM Coding Specialist

설명
야채전이 타지 않게 프라이팬에서 전을 빼는 프로그램입니다.

동작과정
1. 🏳 클릭하면
2. 프라이팬에 야채전이 있습니다.
   → 3초가 되기 전에 전을 클릭합니다.
3. 프로그램 종료하기

변수설명
▶ **개수**
  야채전이 개수를 저장하는 변수입니다.

코딩 스프라이트	야채전

지시사항
▶ *🏳 클릭했을 때*
1) 다음 지시사항을 '5'번 반복하도록 스크립트를 작성하시오.
   ① x: '−196'부터 '94' 사이의 난수, y: '−58'부터 '22' 사이의 난수로 이동하기 하시오.
   ② **나 자신** 복제하기 하시오.

유의사항
지시사항에서 설명한 블록만 이용하시오.
그렇지 않은 경우 채점되지 않습니다.
지시사항 이외의 블록을 변경하였을 경우 **"다시풀기"** 버튼을 눌러서 초기화 후 문제를 푸시기 바랍니다.

합격모의고사 4회 8번

[예제파일 : 합격모의고사4회 08 문제.sb2]   [정답파일 : 합격모의고사4회 08 정답.sb2]

YBM Coding Specialist

설명
바나나를 쏘아 박쥐를 맞히는 프로그램입니다.

동작과정
1. 🚩 클릭하면
   → 박쥐가 위쪽에서 아래쪽으로 이동합니다.
   → 방향키(←, →)를 이용하여 원숭이를 왼쪽 또는 오른쪽으로 움직입니다.
   → 스페이스 키를 누르면 바나나를 발사합니다.
   → 원숭이의 바나나가 박쥐에 맞으면 박쥐는 사라집니다.
2. 프로그램 종료하기

코딩 스프라이트	바나나

지시사항

▶ **스페이스** 키를 눌렀을 때
1) 다음 지시사항을 순서대로 작성하시오.
   ① **바나나** 스프라이트를 보이게 하시오.
   ② **박쥐** 스프라이트 또는 벽에 닿을 때까지 **바나나** 스프라이트를 '10'만큼 움직이게 하시오.
   ③ **판별** 추가블록을 실행하시오

▶ **판별** 추가블록
1) **바나나** 스프라이트가 **박쥐** 스프라이트에 닿으면 다음 지시사항을 순서대로 실행하도록 스크립트를 작성하시오.
   ① **명중** 메시지를 방송하시오
   ② **바나나** 스프라이트를 숨기시오.
   ③ **바나나** 스프라이트를 **원숭이** 스프라이트 위치로 이동시키시오.

유의사항
보기블록 스프라이트에 주어진 블록만 이용하시오.
그렇지 않은 경우 채점되지 않습니다.
지시사항 이외의 블록을 변경하였을 경우 **"다시풀기"** 버튼을 눌러서 초기화 후 문제를 푸시기 바랍니다.

합격모의고사 4회 9번

[예제파일 : 합격모의고사4회 09 문제.sb2]   [정답파일 : 합격모의고사4회 09 정답.sb2]

YBM Coding Specialist

설명
해수욕장에서 물건을 빌리는 프로그램입니다.

동작과정
1. ⚑ 클릭하면
2. 빌릴 수 있는 물품이 리스트에 나와 있습니다.
   → 빌릴 물건을 입력합니다.
   → 대상을 입력합니다.
3. 더 빌릴 물건이 있는지 물어봅니다.
   → 대답이 '아니오'가 아니면 2번으로 돌아갑니다.
4. 프로그램 종료하기

변수설명
▶ **가격**
  총 가격을 저장하는 변수입니다.
▶ **대상**
  물건을 빌릴 대상을 저장하는 변수입니다.
▶ **물건**
  빌릴 대상을 저장하는 변수입니다.

코딩 스프라이트	고양이

지시사항

▶ ⚑ 클릭했을 때
1) 다음 지시사항을 순서대로 작성하시오.
   ① **가격**을 '**0**'으로 정하기 하시오.
   ② **대답 = '아니오'**까지 **빌리기** 추가블록을 **반복하기** 하시오.

▶ **계산** 추가블록
1) 만약 **물건** 매개변수 = '**수경**'이라면 다음 지시사항을 순서대로 작성하시오.
   ① 만약 **대상**이 '**어른**'이라면 **가격**을 '**10000**' 만큼 바꾸기 하시오.
   ② 만약 **대상**이 '**어린이**'라면 **가격**을 '**5000**' 만큼 바꾸기 하시오.

유의사항

보기블록 스프라이트에 주어진 블록만 이용하시오.
그렇지 않은 경우 채점되지 않습니다.
지시사항 이외의 블록을 변경하였을 경우 **"다시풀기"** 버튼을 눌러서 초기화 후 문제를 푸시기 바랍니다.

합격모의고사 4회 10번

[예제파일 : 합격모의고사4회 10 문제.sb2]   [정답파일 : 합격모의고사4회 10 정답.sb2]

YBM Coding Specialist

설명
원숭이가 빵집을 가기 위해 길을 찾는 프로그램입니다.

동작과정
1. 🏁 클릭하면
2. 스페이스 키를 누르면
   → 원숭이가 빵집을 향해 길을 따라 움직입니다.
   → 원숭이가 빵집이 있는 장소에 도착하면 '미션완료!'를 말합니다.
3. 프로그램 종료하기

코딩 스프라이트	원숭이

상황설명

▶ 현재 프로그램에서는 원숭이가 빵집에 갈 수 없습니다. 왜냐하면 원숭이가 과일가게를 향해 움직이기 때문입니다.

지시사항

▶ **스페이스** 키를 눌렀을 때
1) 원숭이가 빵집에 갈 수 있도록 필요 없는 명령 블록은 삭제하고 필요한 명령 블록을 추가하여 수정하여 주세요.

〈이용할 블록〉

유의사항

지시사항에서 설명한 블록만 이용하시오.
그렇지 않은 경우 채점되지 않습니다.
지시사항 이외의 블록을 변경하였을 경우 **"다시풀기"** 버튼을 눌러서 초기화 후 문제를 푸시기 바랍니다.

합격모의고사 5회 1번

[예제파일 : 합격모의고사5회 01 문제.sb2]

[정답파일 : 합격모의고사5회 01 정답.sb2]

YBM Coding Specialist

설명
서로 다른 세 가지 색상의 물감을 섞을 때 혼합된 색을 알아보는 프로그램입니다.

동작과정
1. 🏳 클릭하면
   → 청록색, 노란색, 자홍색 물감이 묻은 붓 세 개가 있습니다.
2. 붓을 클릭하면 해당 색상이 무대 아래에 보입니다.
   → 2가지 이상의 물감이 섞이면 다음과 같이 색이 바뀝니다.
   - ▶ 자홍 + 청록 = 파랑
   - ▶ 청록 + 노랑 = 초록
   - ▶ 자홍 + 노랑 = 빨강
   - ▶ 자홍 + 청록 + 노랑 = 검정
3. 프로그램 종료하기

변수설명

▶ **노랑**
노란색을 저장하고 있는 변수입니다.

▶ **자홍**
자홍색을 저장하고 있는 변수입니다.

▶ **청록**
청색을 저장하고 있는 변수입니다.

코딩 스프라이트	붓

지시사항

▶ 🏳 클릭했을 때
1) 다음 지시사항을 순서대로 실행하는 스크립트를 작성하시오.
   ① 모양을 **청록**으로 바꾸기 하시오.
   ② 스프라이트 좌표위치 x: '**-140**', y: '**60**'으로 이동하기 하시오.
   ③ **붓복제** 추가블록을 실행하시오.

▶ **붓복제** 추가블록
1) 다음 지시사항을 순서대로 '**2**'번 반복하는 스크립트를 작성하시오.
   ① **나 자신** 복제하기 하시오.
   ② 스프라이트의 x좌표를 '**120**'만큼 바꾸기 하시오.
   ③ 스프라이트를 다음 모양으로 바꾸기 하시오.

유의사항

지시사항에서 설명한 블록만 이용하시오.
그렇지 않은 경우 채점되지 않습니다.
지시사항 이외의 블록을 변경하였을 경우 **"다시풀기"** 버튼을 눌러서 초기화 후 문제를 푸시기 바랍니다.

합격모의고사 5회 2번

[예제파일 : 합격모의고사5회 02 문제.sb2]   [정답파일 : 합격모의고사5회 02 정답.sb2]

YBM Coding Specialist

설명
주사기를 이용하여 모기를 잡는 프로그램입니다.

동작과정

1. 🚩 클릭하면
   → 창문에 모기가 붙어있습니다.
   → 주사기로 모기를 클릭하면 모기가 사라집니다.
   → 0.5초 후에 창문의 다른 위치에 모기가 붙습니다.
2. 프로그램 종료하기

코딩 스프라이트	모기

지시사항

▶ 🚩 클릭했을 때
1) 모기 스프라이트를 좌표위치 x : '**80**', y : '**100**'으로 이동시키시오.

▶ 잡기 메시지를 받았을 때
1) 다음 지시사항을 순서대로 작성하시오.
   ① 모기 스프라이트를 숨기시오.
   ② 모기 스프라이트를 '**0.5**'초 기다리게 하시오.
   ③ 모기 스프라이트를 보이게 하시오.
   ④ 모기 스프라이트를 좌표위치 x : '**-150**'부터 '**150**' 사이의 난수, y : '**-10**'부터 '**140**'사이의 난수로 이동시키시오.

유의사항
보기블록 스프라이트에 주어진 블록만 이용하시오.
그렇지 않은 경우 채점되지 않습니다.
지시사항 이외의 블록을 변경하였을 경우 "**다시풀기**" 버튼을 눌러서 초기화 후 문제를 푸시기 바랍니다.

합격모의고사 5회 3번

[예제파일 : 합격모의고사5회 03 문제.sb2]   [정답파일 : 합격모의고사5회 03 정답.sb2]

YBM Coding Specialist

설명
한글 '거'–'너'–'더'–'러'가 순서대로 반복하며 바뀌는 프로그램입니다.

동작과정
1. 🏳 클릭하면
   → '거'–'너'–'더'–'러'가 순서대로 반복하며 바뀝니다.
2. 스페이스 키를 누릅니다.
   → 글자가 멈춥니다.
   → 멈춘 글자의 크기가 커지고 색깔이 파란색으로 바뀝니다.
3. 프로그램 종료하기

코딩 스프라이트	한글

지시사항

▶ **스페이스** 키를 눌렀을 때
1) 다음 지시사항을 순서대로 작성하시오.
   ① 스프라이트의 크기를 '**100**'%로 정하기 하시오.
   ② **색깔** 효과를 '**80**'으로 정하기 하시오.
   ③ **스프라이트에 있는 다른 스크립트 멈추기** 하시오.

▶ **바꾸기** 메시지를 받았을 때
1) 다음 지시사항을 무한 반복하는 스크립트를 작성하시오.
   ① 다음 모양으로 바꾸기 하시오.

유의사항
보기블록 스프라이트에 주어진 블록만 이용하시오.
그렇지 않은 경우 채점되지 않습니다.
지시사항 이외의 블록을 변경하였을 경우 "**다시풀기**" 버튼을 눌러서 초기화 후 문제를 푸시기 바랍니다.

합격모의고사 5회 4번

[예제파일 : 합격모의고사5회 04 문제.sb2]　　　　　　　　　　　　[정답파일 : 합격모의고사5회 04 정답.sb2]

YBM Coding Specialist

설명
탁구 게임 프로그램입니다.

동작과정
1. ▶ 클릭하면
   → 탁구공을 주고 받습니다.
2. 프로그램 종료하기

코딩 스프라이트	탁구공

지시사항

▶ ▶ 클릭했을 때
1) 다음 지시사항을 순서대로 실행하는 스크립트를 작성하시오.
   ① 맨 앞으로 순서 바꾸기 하시오.
   ② 크기를 '30'%로 정하기 하시오.
   ③ x: '−95', y: '52'로 이동하기 하시오.
   ④ **랠리** 메시지를 방송하기 하시오.

▶ **랠리** 메시지를 받았을 때
1) 다음 지시사항을 순서대로 '3'번 반복하는 스크립트를 작성하시오.
   ① '0.5'초 동안 x: '50', y: '−30'으로 움직이기 하시오.
   ② '0.5'초 동안 x: '95', y: '52'로 움직이기 하시오.
   ③ '0.5'초 동안 x: '−50', y: '−30'으로 움직이기 하시오.
   ④ '0.5'초 동안 x: '−95', y: '52'로 움직이기 하시오.

유의사항

보기블록 스프라이트에 주어진 블록만 이용하시오.
그렇지 않은 경우 채점되지 않습니다.
지시사항 이외의 블록을 변경하였을 경우 **"다시풀기"** 버튼을 눌러서 초기화 후 문제를 푸시기 바랍니다.

합격모의고사 5회 5번

[예제파일 : 합격모의고사5회 05 문제.sb2]   [정답파일 : 합격모의고사5회 05 정답.sb2]

YBM Coding Specialist

설명
태클을 피하는 축구 프로그램입니다.

동작과정
1. 🏴 클릭하면
   - → 사람이 고양이를 향해 태클을 합니다.
   - → 스페이스 키를 누르면 점프를 하며 태클을 피합니다.
   - → 태클을 피하지 못하면 프로그램이 멈춥니다.
2. 프로그램 종료하기

코딩 스프라이트	고양이

지시사항

▶ 🏴 **클릭했을 때**
1) 다음 지시사항을 무한 반복하는 스크립트를 작성하시오.
   ① 만약 **사람** 스프라이트에 닿았는가?라면 **모두** 멈추기 하시오.

▶ **스페이스** 키를 눌렀을 때
1) 다음 지시사항을 순서대로 실행하는 스크립트를 작성하시오.
   ① '0.5'초 동안 x: '−180', y: '150'으로 움직이기 하시오.
   ② '0.1'초 기다리기 하시오.
   ③ '0.5'초 동안 x: '−180' y: '0'으로 움직이기 하시오.

유의사항

지시사항에서 설명한 블록만 이용하시오.
그렇지 않은 경우 채점되지 않습니다.
지시사항 이외의 블록을 변경하였을 경우 **"다시풀기"** 버튼을 눌러서 초기화 후 문제를 푸시기 바랍니다.

합격모의고사 5회 6번

[예제파일 : 합격모의고사5회 06 문제.sb2]　　　　　　　　　　　[정답파일 : 합격모의고사5회 06 정답.sb2]

YBM Coding Specialist

설명

악어가 고기를 먹는 프로그램입니다.

동작과정

1. 🚩 클릭하면
2. 무대에 악어와 고기가 보입니다.
   → 악어가 고기를 향해 움직입니다.
   → 악어가 고기를 먹고 난 후 무대 밖으로 사라집니다.
3. 프로그램 종료하기

코딩 스프라이트	악어

지시사항

▶ **이동** 추가블록
1) 다음 지시사항을 순서대로 무한 반복하는 스크립트를 작성하시오.
   ① '**10**'만큼 움직이기 하시오.
   ② 다음 모양으로 바꾸기 하시오.
   ③ 만약 **벽**에 닿았는가? 라면 숨기기 하시오.

유의사항

지시사항에서 설명한 블록만 이용하시오.
그렇지 않은 경우 채점되지 않습니다.
지시사항 이외의 블록을 변경하였을 경우 **"다시풀기"** 버튼을 눌러서 초기화 후 문제를 푸시기 바랍니다.

코딩 스프라이트	고기

지시사항

▶ 🚩 **클릭했을 때**
1) 다음 지시사항을 순서대로 실행하는 스크립트를 작성하시오.
   ① 보이기 하시오.
   ② 크기를 '**30**'%로 정하기 하시오.
   ③ x: '**-150**'부터 '**220**' 사이의 난수, y: '**-120**'부터 '**-15**' 사이의 난수로 이동하기 하시오.

유의사항

지시사항에서 설명한 블록만 이용하시오.
그렇지 않은 경우 채점되지 않습니다.
지시사항 이외의 블록을 변경하였을 경우 **"다시풀기"** 버튼을 눌러서 초기화 후 문제를 푸시기 바랍니다.

합격모의고사 5회 7번

[예제파일 : 합격모의고사5회 07 문제.sb2]

[정답파일 : 합격모의고사5회 07 정답.sb2]

YBM Coding Specialist

설명
농구공과 야구공 2개가 결합하여 비치볼이 되는 프로그램입니다.

동작과정
1. 🏳 클릭하면
   → 야구공 2개가 무작위로 움직입니다.
   → 농구공 1개와 야구공 2개가 결합하면 비치볼이 됩니다.
2. 프로그램 종료하기

변수설명

▶ **공합치기**
   농구공에 야구공이 몇 개가 결합했는지를 알기 위해 사용하는 변수입니다.

코딩 스프라이트	비치볼

지시사항

▶ 🏳 클릭했을 때
1) 공합치기 변수 값이 2와 같다면 다음 지시사항을 순서대로 실행하는 스크립트를 작성하시오.
   ① 비치볼이 보이기 하시오.   ② 맨 앞으로 나오기 하시오.
   ③ 농구공 위치로 이동하게 하시오.   ④ 1초 동안 x: **x좌표**, y: '**-180**' 위치로 움직이게 하시오.
   ⑤ 비치볼을 숨기기 하시오.   ⑥ 모두 멈추기 하시오.

유의사항
지시사항에서 설명한 블록만 이용하시오.
그렇지 않은 경우 채점되지 않습니다.
지시사항 이외의 블록을 변경하였을 경우 **"다시풀기"** 버튼을 눌러서 초기화 후 문제를 푸시기 바랍니다.

코딩 스프라이트	농구공

지시사항

▶ 이동 메시지를 받았을 때
1) 다음 지시사항을 순서대로 실행하도록 스크립트를 작성하시오.
   ① 농구공 스프라이트가 벽에 닿으면 팅기게 하시오.
   ② 농구공 스프라이트가 오른쪽 방향(시계방향)으로 '-10'부터 '10'사이의 난수로 돌게 하시오.

유의사항
지시사항에서 설명한 블록만 이용하시오.
그렇지 않은 경우 채점되지 않습니다.
지시사항 이외의 블록을 변경하였을 경우 **"다시풀기"** 버튼을 눌러서 초기화 후 문제를 푸시기 바랍니다.

합격모의고사 5회 8번

[예제파일 : 합격모의고사5회 08 문제.sb2]   [정답파일 : 합격모의고사5회 08 정답.sb2]

YBM Coding Specialist

설명
비행기가 새를 피하는 프로그램입니다.

동작과정
1. 🏳 클릭하면
   → 새가 비행기를 향해 다가옵니다.
2. 스페이스 키를 누르면 비행기를 위쪽으로 움직일 수 있습니다.
   → 비행기가 새 또는 하늘구름에 부딪치면 비행기가 추락합니다.
3. 프로그램 종료하기

코딩 스프라이트	비행기

지시사항

▶ 🏳 클릭했을 때
1) 다음 지시사항을 무한 반복하는 스크립트를 작성하시오.
   ① y좌표를 '**-2**'만큼 바꾸기 하시오.
   ② 만약 **스페이스** 키를 눌렀는가? 라면 y좌표를 '**5**'만큼 바꾸기 하시오.

▶ **비행** 메시지를 받았을 때
1) 다음 지시사항을 무한 반복하는 스크립트를 작성하시오.
   ① y좌표를 '**-10**'만큼 바꾸기 하시오.

유의사항

보기블록 스프라이트에 주어진 블록만 이용하시오.
그렇지 않은 경우 채점되지 않습니다.
지시사항 이외의 블록을 변경하였을 경우 **"다시풀기"** 버튼을 눌러서 초기화 후 문제를 푸시기 바랍니다.

합격모의고사 5회 9번

[예제파일 : 합격모의고사5회 09 문제.sb2]   [정답파일 : 합격모의고사5회 09 정답.sb2]

YBM Coding Specialist

설명
한복을 대여하는 프로그램입니다.

동작과정
1. 🏳 클릭하면
2. '남성용' 또는 '여성용'을 입력합니다.
3. '어른' 또는 '어린이'를 입력합니다.
4. '추가로 대여하실건가요?'를 묻습니다.
   → 대답이 '아니오'를 입력할 때까지 2번과 3번을 반복합니다.
   → 대답이 '아니오'이면 총 대여료를 말합니다.
5. 프로그램 종료하기

변수설명

▶ **가격**
   총 가격을 저장하는 변수입니다.
▶ **대상**
   물건을 빌릴 대상을 저장하는 변수입니다.
▶ **종류**
   빌릴 물건을 저장하는 변수입니다.

코딩 스프라이트	고양이

지시사항

▶ *🏳 클릭했을 때*
1) 다음 지시사항을 순서대로 작성하시오.
   ① **가격** 변수를 '**0**'으로 정하기 하시오.
   ② **대답 = '아니오'** 까지 **빌리기** 추가블록을 반복하기 하시오.
   ③ **대여료** 메시지를 방송하기 하시오.

▶ **계산 추가블록**
1) 만약 **종류** 매개변수 = '**남성용**' 이라면 다음 지시사항을 실행하는 스크립트를 작성하시오.
   ① 만약 **대상 = '어른'**이라면 **가격**을 '**25000**' 만큼 바꾸기 하시오.
   ② 만약 **대상 = '어린이'**라면 **가격**을 '**15000**' 만큼 바꾸기 하시오.

유의사항
보기블록 스프라이트에 주어진 블록만 이용하시오.
그렇지 않은 경우 채점되지 않습니다.
지시사항 이외의 블록을 변경하였을 경우 **"다시풀기"** 버튼을 눌러서 초기화 후 문제를 푸시기 바랍니다.

합격모의고사 5회 10번

[예제파일 : 합격모의고사5회 10 문제.sb2]　　　　　　　　　　　　[정답파일 : 합격모의고사5회 10 정답.sb2]

YBM Coding Specialist

설명
코돌이가 농구를 하기 위해 체육관에 가는 프로그램입니다.

동작과정
1. 🚩 클릭하면
   → 스페이스바를 누르면 코돌이가 움직입니다.
   → 코돌이가 체육관에 도착하면 '미션완료!'를 말합니다.
2. 프로그램 종료하기

코딩 스프라이트	코돌이

상황설명
▶ 현재 프로그램에서는 코돌이가 체육관에 갈 수 없습니다. 왜냐하면 코돌이가 노래방을 향해 움직이기 때문입니다.

지시사항
▶ **스페이스** 키를 눌렀을 때
1) 코돌이가 체육관에 갈 수 있도록 필요 없는 명령 블록은 삭제하고 필요한 명령 블록을 추가하여 수정하여 주세요.

유의사항
지시사항에서 설명한 블록만 이용하시오.
그렇지 않은 경우 채점되지 않습니다.
지시사항 이외의 블록을 변경하였을 경우 **"다시풀기"** 버튼을 눌러서 초기화 후 문제를 푸시기 바랍니다.

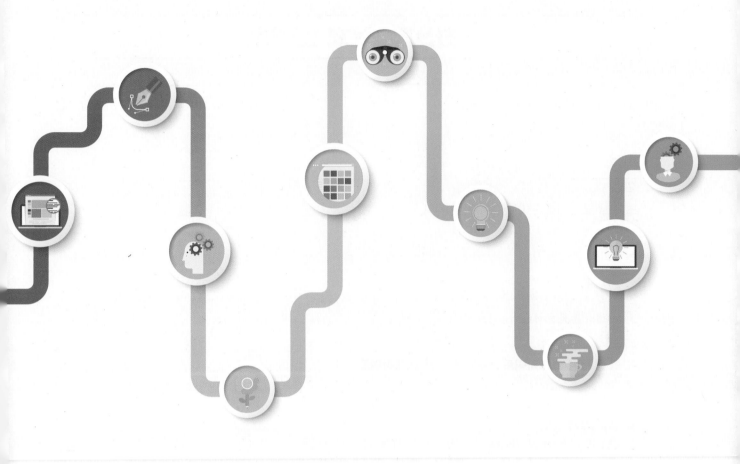

최신기출문제

최신기출문제 1회 1번

[예제파일 : 최신기출문제1회 01 문제.sb2]   [정답파일 : 최신기출문제1회 01 정답.sb2]

YBM Coding Specialist

설명

크리스마스트리를 꾸미는 프로그램입니다.

동작과정

1. ▶ 클릭하면
2. 세 가지 장식품(종1, 종2, 체리)을 각각 드래그하여 트리에 각각 10개씩 원하는 위치에 장식합니다.
3. 프로그램 종료하기

코딩 스프라이트	각 스프라이트

지시사항

▶ ▶ 클릭했을 때
1) 종1 스프라이트를 좌표 X : '-180', y : '100'에 위치 시키시오.
2) 종2 스프라이트를 좌표 X : '-185', y : '80'에 위치 시키시오.
3) 체리 스프라이트를 좌표 x : '-185', y : '50'에 위치 시키시오.

유의사항

지시사항에서 설명한 블록만 이용하시오.
그렇지 않은 경우 채점되지 않습니다.
지시사항 이외의 블록을 변경하였을 경우 **"다시풀기"** 버튼을 눌러서 초기화 후 문제를 푸시기 바랍니다.

최신기출문제 1회 2번

[예제파일 : 최신기출문제1회 02 문제.sb2]   [정답파일 : 최신기출문제1회 02 정답.sb2]

YBM Coding Specialist

설명
창문의 먼지를 제거하는 프로그램입니다.

동작과정

1. 🏁 클릭하면
   → 창문에 먼지가 붙어 있습니다.
   → 먼지를 클릭하면 사라집니다.
   → 0.5초 후에 창문의 다른 위치에서 먼지가 보입니다.
2. 프로그램 종료하기

코딩 스프라이트	먼지

지시사항

▶ 🏁 *클릭했을 때, 복제되었을 때*
1) **먼지** 스프라이트를 보이게 하고, 크기를 '**10**'%로 정하시오.
2) **먼지** 스프라이트를 좌표 x:'**-150**'부터 '**160**' 사이의 난수, y:'**0**'부터 '**160**'사이의 난수로 *이동시키시오.*

▶ *이 스프라이트를 클릭했을 때*
1) **먼지** 스프라이트를 숨기고, '**0.5**'초 기다린 후 '**먼지**'를 복제하시오.

유의사항
지시사항에서 설명한 블록만 이용하시오.
그렇지 않은 경우 채점되지 않습니다.
지시사항 이외의 블록을 변경하였을 경우 **"다시풀기"** 버튼을 눌러서 초기화 후 문제를 푸시기 바랍니다.

최신기출문제 1회 3번

[예제파일 : 최신기출문제1회 03 문제.sb2]　　　　　　　　　　[정답파일 : 최신기출문제1회 03 정답.sb2]

YBM Coding Specialist

설명
신선한 당근을 찾아 바구니에 담는 프로그램입니다.

동작과정
1. 🏳 클릭하면
   → 무작위의 위치에 신선한 당근과 썩은 당근이 보여 집니다.
   → 신선한 당근을 바구니에 담으면, 점수가 100점 증가하고 임의의 위치에 복제됩니다.
   → 썩은 당근을 바구니에 담으면, 점수가 500점 감소하고 바구니에 담긴 당근이 모두 사라집니다.
2. 프로그램 종료하기

변수설명

▶ **점수**
　당근과 바구니를 잘 매치했을 때 점수를 저장하는 변수입니다.

코딩 스프라이트	신선한당근

지시사항

▶ **'실패'** *메시지를 받았을 때*
1) **신선한당근** 스프라이트의 좌표를 x:**'-220'부터 '220'** *사이의 난수*, y:**'0'부터 '150'** *사이의 난수로 이동시키시오.*
2) 크기를 **'20'**% 정하시오.
3) **'재시작'** 메시지를 방송하시오.
4) *이 복제본을 삭제하시오.*

유의사항

보기블록 스프라이트에 주어진 블록만 이용하시오.
그렇지 않은 경우 채점되지 않습니다.
지시사항 이외의 블록을 변경하였을 경우 **"다시풀기"** 버튼을 눌러서 초기화 후 문제를 푸시기 바랍니다.

최신기출문제 1회 4번

[예제파일 : 최신기출문제1회 04 문제.sb2]   [정답파일 : 최신기출문제1회 04 정답.sb2]

YBM Coding Specialist

설명

고양이가 미로 안에 놓인 깃발을 찾아가는 프로그램입니다.

동작과정

1. 🏴 클릭하면
   → 방향키(←, ↑, ↓, →)를 누르면 고양이가 상, 하, 좌, 우로 움직입니다.
   → 고양이가 검정색 벽에 닿으면 처음 시작한 위치로 돌아갑니다.
   → 녹색 깃발을 잡으면 배경이 '클리어'로 바뀝니다.
2. 프로그램 종료하기

코딩 스프라이트	고양이

지시사항

▶ **'왼쪽 화살표'** 키를 눌렀을 때
1) **고양이** 스프라이트를 '**-90**'도 방향을 보게 하고 x 좌표를 '**-5**'만큼 바꾸시오.

▶ **'오른쪽 화살표'** 키를 눌렀을 때
1) **고양이** 스프라이트를 '**90**'도 방향을 보게 하고 x 좌표를 '**5**'만큼 바꾸시오.

▶ **'위쪽 화살표'** 키를 눌렀을 때
1) **고양이** 스프라이트의 y좌표를 '**5**'만큼 바꾸시오.

▶ **'아래쪽 화살표'** 키를 눌렀을 때
1) **고양이** 스프라이트의 y좌표를 '**-5**'만큼 바꾸시오.

유의사항

지시사항에서 설명한 블록만 이용하시오.
그렇지 않은 경우 채점되지 않습니다.
지시사항 이외의 블록을 변경하였을 경우 **"다시풀기"** 버튼을 눌러서 초기화 후 문제를 푸시기 바랍니다.

최신기출문제 1회 5번

[예제파일 : 최신기출문제1회 05 문제.sb2]　　　　　　　　　　　　　　[정답파일 : 최신기출문제1회 05 정답.sb2]

YBM　Coding Specialist

설명
대상과 인원수에 따라 우주선 안의 산소가 고갈되는 시간을 계산하는 프로그램입니다.

동작과정
1. 🚩 클릭하면
   → 현재 산소량을 입력합니다.　　　　　　→ 남자 수를 입력합니다.
   → 여자 수를 입력합니다.　　　　　　　　→ 산소가 고갈되는 시간을 계산합니다.
   → 고양이가 계산 결과를 말합니다.
2. 프로그램 종료하기

변수설명

▶ **고갈시간**
　산소가 고갈되는 시간을 계산하여 저장하는 변수 입니다.
▶ **산소량**
　산소량을 입력받아 저장하는 변수입니다.
▶ **남자 수**
　남자 수를 입력받아 저장하는 변수입니다.
▶ **여자 수**
　여자 수를 입력받아 저장하는 변수입니다.

코딩 스프라이트	고양이

지시사항

▶ 🚩 *클릭했을 때*
1) **고양이** 스프라이트를 숨기시오.
2) **질문** 추가블록을 실행하시오.
3) **고양이** 스프라이트의 좌표를 x:'–15', y:'–120' 에 위치시키시오.
4) **고양이** 스프라이트를 보이게 하시오.
5) '**산소 고갈시간은 '고갈시간' 변수 분입니다.**'를 말하시오.
   예) 산소 고갈시간은 10분입니다.

유의사항

보기블록 스프라이트에 주어진 블록만 이용하시오.
그렇지 않은 경우 채점되지 않습니다.
지시사항 이외의 블록을 변경하였을 경우 **"다시풀기"** 버튼을 눌러서 초기화 후 문제를 푸시기 바랍니다.

최신기출문제 1회 6번

[예제파일 : 최신기출문제1회 06 문제.sb2]　　　　　　　　[정답파일 : 최신기출문제1회 06 정답.sb2]

YBM Coding Specialist

설명
당근을 뽑는 프로그램입니다.

동작과정
1. 🚩 클릭하면
   → 밭에 당근이 심어져 있습니다.
   → 당근을 클릭하면, 온전한 당근 또는 불량 당근을 보여줍니다. 이때 불량 당근이 온전한 당근보다 더 자주 보여집니다.
2. 프로그램 종료하기

변수설명

▶ **상태**
　온전한 당근과 불량 당근이 무작위로 나타나게 하기 위한 변수입니다.

코딩 스프라이트	당근

지시사항

▶ *이 스프라이트를 클릭했을 때*
1) **상태** 변수를 '**1**'부터 '**3**' 사이의 *난수로 정하시오.*
2) **상태** 변수가 '**1**'이면
   ① '**snap**' 소리를 *재생하시오.*
   ② *y좌표를* '**50**'만큼 *바꾸시오.*
   ③ *모양을* '**온전한당근**'으로 *바꾸시오.*

유의사항
지시사항에서 설명한 블록만 이용하시오.
그렇지 않은 경우 채점되지 않습니다.
지시사항 이외의 블록을 변경하였을 경우 **"다시풀기"** 버튼을 눌러서 초기화 후 문제를 푸시기 바랍니다.

최신기출문제 1회 7번

[예제파일 : 최신기출문제1회 07 문제.sb2]   [정답파일 : 최신기출문제1회 07 정답.sb2]

YBM Coding Specialist

설명

연필심의 색을 바꾸는 프로그램입니다.

동작과정

1. 🏳 클릭하면
2. 스페이스키를 누르면 연필심의 색(검정, 빨강, 파랑)이 바뀝니다.
   → 마우스를 움직이면 해당 색상의 선이 그려집니다.
3. 프로그램 종료하기

변수설명

▶ **색**
연필의 색을 지정하기 위해 사용하는 변수입니다.

코딩 스프라이트	색

지시사항

▶ '**스페이스**'키를 눌렀을 때
1) *다음 모양으로 바꾸시오.*
2) **색** 변수를 모양#으로 정하시오.
3) '**색변경**' 메시지를 방송하시오.

유의사항

지시사항에서 설명한 블록만 이용하시오.
그렇지 않은 경우 채점되지 않습니다.
지시사항 이외의 블록을 변경하였을 경우 **"다시풀기"** 버튼을 눌러서 초기화 후 문제를 푸시기 바랍니다.

최신기출문제 1회 8번

[예제파일 : 최신기출문제1회 08 문제.sb2]　　　　　　　　　　　[정답파일 : 최신기출문제1회 08 정답.sb2]

YBM Coding Specialist

설명
눈을 던져 바퀴벌레를 맞히는 프로그램입니다.

동작과정
1. 🏁 클릭하면
   → 사람 또는 바퀴벌레가 나타나 왼쪽에서 오른쪽으로 이동합니다.
   → 스페이스키를 누르면 아이가 눈을 던집니다.
   → 바퀴벌레가 눈에 맞으면 점수가 100점 증가합니다.
   → 사람이 눈에 맞으면 점수가 100점 감소합니다.
2. 프로그램 종료하기

변수설명

▶ **대상**
   사람 또는 바퀴벌레를 무대에 보여주기 위해 사용하는 변수입니다.
▶ **점수**
   눈으로 사람 또는 바퀴벌레를 맞힐 경우 대상에 따라 점수가 변하는 변수입니다.

코딩 스프라이트	눈

지시사항

▶ *🏁 클릭했을 때*
1) 점수 변수가 '1000'이 될 때까지 다음을 순서대로 반복하시오.
   ① 만약 바퀴벌레 스프라이트에 닿으면
      – 점수 변수를 '100'만큼 바꾸고, 숨기시오.
   ② 만약 사람 스프라이트에 닿으면
      – 점수 변수를 '–100' 만큼 바꾸고, 숨기시오.

유의사항
보기블록 스프라이트에 주어진 블록만 이용하시오.
그렇지 않은 경우 채점되지 않습니다.
지시사항 이외의 블록을 변경하였을 경우 **"다시풀기"** 버튼을 눌러서 초기화 후 문제를 푸시기 바랍니다.

최신기출문제 1회 9번

[예제파일 : 최신기출문제1회 09 문제.sb2]   [정답파일 : 최신기출문제1회 09 정답.sb2]

YBM Coding Specialist

설명

계절에 따라 벼의 모습이 바뀌는 프로그램입니다.

동작과정

1. 🏳 클릭하면
   → 봄, 여름, 가을 배경이 2초마다 순서대로 바뀝니다.
   → 계절에 따라 벼의 모양이 바뀝니다.
2. 프로그램 종료하기

코딩 스프라이트	벼

지시사항

▶ 🏳 클릭했을 때 다음 내용을 순서대로 작성하시오.
1) 배경 이름이 '봄'이면 벼 스프라이트를 보이게 하고, 모양을 '벼1'로 바꾸시오.
2) 배경 이름이 '여름'이면 벼 스프라이트를 보이게 하고, 모양을 '벼2'로 바꾸시오.
3) 배경 이름이 '가을'이면 벼 스프라이트를 보이게 하고, 모양을 '벼3'로 바꾸시오.

유의사항

지시사항에서 설명한 블록만 이용하시오.
그렇지 않은 경우 채점되지 않습니다.
지시사항 이외의 블록을 변경하였을 경우 **"다시풀기"** 버튼을 눌러서 초기화 후 문제를 푸시기 바랍니다.

최신기출문제 1회 10번

[예제파일 : 최신기출문제1회 10 문제.sb2]   [정답파일 : 최신기출문제1회 10 정답.sb2]

YBM Coding Specialist

설명
'3', '6', '9'가 들어가는 숫자에 박수를 치는 369게임 프로그램입니다.

동작과정
1. 🚩 클릭하면
   → 고양이가 1부터 10까지의 숫자를 차례대로 말합니다.
      ▶ '3', '6', '9'가 들어가는 숫자인 경우에는 '짝'을 말합니다.
2. 프로그램 종료하기

변수설명

▶ N
   숫자를 세기 위해 사용하는 변수입니다.

코딩 스프라이트	고양이

지시사항

▶ 🚩 클릭했을 때
1) 1부터 10까지 숫자를 차례대로 말하도록 스크립트 블록의 값을 수정하시오. (단, '3', '6', '9'에서는 '짝'을 말하시오.)

유의사항

지시사항에서 설명한 블록만 이용하시오.
그렇지 않은 경우 채점되지 않습니다.
지시사항 이외의 블록을 변경하였을 경우 **"다시풀기"** 버튼을 눌러서 초기화 후 문제를 푸시기 바랍니다.

최신기출문제 2회 1번

[예제파일 : 최신기출문제2회 01 문제.sb2]　　　　　　　　　　　　　　[정답파일 : 최신기출문제2회 01 정답.sb2]

YBM Coding Specialist

설명

셔틀콕을 팅기는 프로그램입니다.

동작과정

1. 🚩 클릭하면
   → 셔틀콕이 위에서 아래로 움직입니다.
   → 셔틀콕이 배드민턴 라켓에 닿았을 때 스페이스 키를 누르면 셔틀콕이 위로 올라갑니다.
2. 프로그램 종료하기

코딩 스프라이트	셔틀콕

지시사항

▶ **스페이스** 키를 눌렀을 때
1) 사람에 닿으면
   ① '**-90**'도 방향을 보게 하시오.
   ② '**0.5**'초 동안 x:'**90**', y:'**240**'으로 움직이게 하시오.
   ③ **셔틀콕** 스프라이트를 숨기고 '**1**'초 기다린 후 다시 보이게 하시오.
   ④ '**90**'도 방향을 보게 하시오.
   ⑤ '**0.5**'초 동안 x:'**90**', y:'**0**'으로 움직이게 하시오.

유의사항

지시사항에서 설명한 블록만 이용하시오.
그렇지 않은 경우 채점되지 않습니다.
지시사항 이외의 블록을 변경하였을 경우 "**다시풀기**" 버튼을 눌러서 초기화 후 문제를 푸시기 바랍니다.

최신기출문제 2회 2번

[예제파일 : 최신기출문제2회 02 문제.sb2]   [정답파일 : 최신기출문제2회 02 정답.sb2]

YBM Coding Specialist

설명
까마귀가 날아와 먹이를 먹는 프로그램입니다.

동작과정
1. 🏁 클릭하면
   - → 까마귀가 먹이를 향해 날아옵니다.
   - → 까마귀가 먹이를 먹습니다.
   - → 먹이를 모두 먹으면 날아갑니다.
2. 프로그램 종료하기

코딩 스프라이트	먹이

지시사항

▶ '섭취' 메시지를 받았을 때
1) '0.5'초 기다리고, 크기를 '-10'만큼 바꾸기를 '3'번 반복한 후 **먹이** 스프라이트를 숨기시오.

유의사항

지시사항에서 설명한 블록만 이용하시오.
그렇지 않은 경우 채점되지 않습니다.
지시사항 이외의 블록을 변경하였을 경우 **"다시풀기"** 버튼을 눌러서 초기화 후 문제를 푸시기 바랍니다.

최신기출문제 2회 3번

[예제파일 : 최신기출문제2회 03 문제.sb2]   [정답파일 : 최신기출문제2회 03 정답.sb2]

YBM Coding Specialist

설명
0부터 9까지 숫자가 순서대로 바뀌는 프로그램 입니다.

동작과정
1. 🚩 클릭하면
   → 0부터 9까지의 숫자가 순서대로 바뀝니다.
   → 스페이스 키를 누르면 더 이상 숫자가 바뀌지 않습니다.
2. 프로그램 종료하기

코딩 스프라이트	숫자

지시사항

▶ 🚩 클릭했을 때
1) **숫자** 스프라이트가 다음 모양으로 바꾸고, '**0.05**'초 기다리기를 무한 반복하도록 하시오.

▶ **스페이스** 키를 눌렀을 때
1) 스크립트를 모두 멈추시오.

유의사항
지시사항에서 설명한 블록만 이용하시오.
그렇지 않은 경우 채점되지 않습니다.
지시사항 이외의 블록을 변경하였을 경우 "**다시풀기**" 버튼을 눌러서 초기화 후 문제를 푸시기 바랍니다.

최신기출문제 2회 4번

[예제파일 : 최신기출문제2회 04 문제.sb2]   [정답파일 : 최신기출문제2회 04 정답.sb2]

YBM Coding Specialist

설명
제비가 흥부에게 박씨를 물어다 주는 프로그램입니다.

동작과정
1. ▶ 클릭하면
   → 제비가 손을 모으고 있는 흥부에게 날아갑니다.
   → 제비가 흥부에게 박씨를 주고 날아갑니다.
   → 박씨를 받은 흥부는 '고마워'라고 말합니다.
2. 프로그램 종료하기

코딩 스프라이트	제비

지시사항

▶ '날기' 메시지를 받았을 때
1) 다음 모양으로 바꾸고, '0.5'초 기다리기를 '4'번 반복하시오.
2) **제비** 스프라이트가 '90'도 방향을 보게 하시오.
3) 다음 모양으로 바꾸고, '0.5'초 기다리기를 '4'번 반복하시오.

유의사항

지시사항에서 설명한 블록만 이용하시오.
그렇지 않은 경우 채점되지 않습니다.
지시사항 이외의 블록을 변경하였을 경우 **"다시풀기"** 버튼을 눌러서 초기화 후 문제를 푸시기 바랍니다.

최신기출문제 2회 5번

[예제파일 : 최신기출문제2회 05 문제.sb2]   [정답파일 : 최신기출문제2회 05 정답.sb2]

YBM Coding Specialist

설명
새가 빵조각을 먹는 프로그램입니다.

동작과정

1. ⚑ 클릭하면
   → 빵조각이 무작위의 위치에 보입니다.
   → 방향키(←, ↑, →, ↓)를 누르면 까마귀가 움직입니다.
   → 스페이스 키를 누르면 까마귀가 빵조각을 먹습니다.
   → 까마귀가 빵조각을 모두 먹으면 먹은 빵의 개수가 올라가고, 무작위의 위치에 빵조각이 나타납니다.
2. 프로그램 종료하기

변수설명

▶ **빵**
  저장하는 변수입니다.

코딩 스프라이트	까마귀

지시사항

▶ 왼쪽 화살표 키를 눌렀을 때
1) '90'도 방향을 바라보고, x좌표를 '−10'만큼 움직이도록 스크립트를 수정하시오.

▶ 오른쪽 화살표 키를 눌렀을 때
1) '−90'도 방향을 바라보고, x좌표를 '10'만큼 움직이도록 스크립트를 수정하시오.

유의사항

지시사항에서 설명한 블록만 수정하시오.
그렇지 않은 경우 채점되지 않습니다.
지시사항 이외의 블록을 변경하였을 경우 **"다시풀기"** 버튼을 눌러서 초기화 후 문제를 푸시기 바랍니다.

최신기출문제 2회 6번

[예제파일 : 최신기출문제2회 06 문제.sb2]   [정답파일 : 최신기출문제2회 06 정답.sb2]

YBIII Coding Specialist

설명

산소와 수소가 만나 물을 만드는 프로그램입니다.

동작과정

1. 🚩 클릭하면
   → 산소와 수소 2개가 무작위로 움직입니다.
   → 산소와 수소 2개가 만나면 물로 변합니다.
2. 프로그램 종료하기

변수설명

▶ H
   산소에 수소가 몇 개 붙었는지 확인하는 변수입니다.

코딩 스프라이트	수소1, 수소2, 산소

지시사항

▶ **이동** 메시지를 받았을 때
1) 벽에 닿으면 튕기고, '−10'부터 '10'사이의 난수만큼 시계방향으로 회전하도록 하시오.

유의사항

지시사항에서 설명한 블록만 이용하시오.
그렇지 않은 경우 채점되지 않습니다.
지시사항 이외의 블록을 변경하였을 경우 **"다시풀기"** 버튼을 눌러서 초기화 후 문제를 푸시기 바랍니다.

최신기출문제 2회 7번

[예제파일 : 최신기출문제2회 07 문제.sb2]

[정답파일 : 최신기출문제2회 07 정답.sb2]

YBM Coding Specialist

설명
입력한 자연수를 리스트에 추가하는 프로그램입니다.

동작과정
1. 🏳 클릭하면
2. 리스트에 추가할 자연수를 입력합니다.
   → 1부터 입력한 자연수까지 리스트에 추가됩니다.
3. 프로그램 종료하기

변수설명

▶ N
  반복문에 사용되는 변수입니다.

코딩 스프라이트	고양이

지시사항

▶ 생성 추가블록
1) N 변수를 **저장소** 리스트에 추가하고, N 변수를 '**1**'만큼 바꾸기를 대답번 반복하는 스크립트를 완성하시오.

유의사항

보기블록 스프라이트에 주어진 블록만 이용하시오.
그렇지 않은 경우 채점되지 않습니다.
지시사항 이외의 블록을 변경하였을 경우 **"다시풀기"** 버튼을 눌러서 초기화 후 문제를 푸시기 바랍니다.

최신기출문제 2회 8번

[예제파일 : 최신기출문제2회 08 문제.sb2]   [정답파일 : 최신기출문제2회 08 정답.sb2]

YBM Coding Specialist

설명

데이터 사용량에 따른 요금을 계산하는 프로그램입니다.

동작과정

1. 🏁 클릭하면
2. ON버튼을 누르면 데이터 사용량이 올라갑니다.
3. OFF버튼을 누르면 데이터 사용량이 멈춥니다.
   → 데이터 사용량에 따른 사용 요금을 계산합니다.
   → 고양이가 데이터 사용 요금을 말합니다.
4. 프로그램 종료하기

변수설명

▶ **감지**
  OFF를 눌렀는지를 감지하는 변수입니다.
▶ **사용량**
  ON을 누르면 증가하는 변수입니다.
▶ **요금**
  사용량에 3.5를 곱한 값을 계산하여 저장하는 변수입니다.

코딩 스프라이트	ON

지시사항

▶ **사용량 추가블록**
1) **감지** 변수가 '**1**'이 될 때까지 사용량 변수를 '**1**'만큼 바꾸고, '**0.01**'초 기다리기를 반복하시오.

유의사항

지시사항에서 설명한 블록만 이용하시오.
그렇지 않은 경우 채점되지 않습니다.
지시사항 이외의 블록을 변경하였을 경우 **"다시풀기"** 버튼을 눌러서 초기화 후 문제를 푸시기 바랍니다.

최신기출문제 2회 9번

[예제파일 : 최신기출문제2회 09 문제.sb2]   [정답파일 : 최신기출문제2회 09 정답.sb2]

YBM Coding Specialist

설명

고양이 목에 방울을 다는 프로그램입니다.

동작과정

1. 🏳 클릭하면
2. 방울을 드래그 하여 고양이 목에 답니다.
   → 고양이가 눈을 뜨고 있을 때 방울을 달면 '야옹'을 말합니다.
   → 고양이가 낮잠을 잘 때 방울을 달면 '성공'을 말합니다.
3. 프로그램 종료하기

코딩 스프라이트	고양이

지시사항

▶ **일어남** 추가블록

1) **고양이** 스프라이트가 **방울** 스프라이트에 닿으면 **'야옹'**을 **'2'**초 동안 말하고, **'실패'** 메시지를 방송하시오.

▶ **낮잠** 추가블록

1) **고양이** 스프라이트가 **방울** 스프라이트에 닿으면 **'성공'**을 말하고, 스프라이트에 있는 다른 스크립트를 멈추시오.

유의사항

지시사항에서 설명한 블록만 이용하시오.
그렇지 않은 경우 채점되지 않습니다.
지시사항 이외의 블록을 변경하였을 경우 **"다시풀기"** 버튼을 눌러서 초기화 후 문제를 푸시기 바랍니다.

최신기출문제 2회 10번

[예제파일 : 최신기출문제2회 10 문제.sb2]   [정답파일 : 최신기출문제2회 10 정답.sb2]

YBM Coding Specialist

설명

선의 굵기를 조절하고 연필로 그림을 그리는 프로그램입니다.

동작과정

1. 🚩 클릭하면
   → 연필이 마우스 포인터를 따라 선을 그립니다.
   → 방향키(←,→)를 이용하여 선의 굵기를 조절합니다.
2. 프로그램 종료하기

변수설명

▶ **굵기**
   선의 굵기가 저장되는 변수입니다.

코딩 스프라이트	연필

지시사항

▶ 🚩 *클릭했을 때*
1) 펜 굵기를 **굵기** 변수로 정하고, 마우스를 따라 움직이도록 스크립트를 수정하시오.

유의사항

지시사항에서 설명한 블록만 이용하시오.
그렇지 않은 경우 채점되지 않습니다.
지시사항 이외의 블록을 변경하였을 경우 **"다시풀기"** 버튼을 눌러서 초기화 후 문제를 푸시기 바랍니다.

최신기출문제 3회 1번

[예제파일 : 최신기출문제3회 01 문제.sb2]   [정답파일 : 최신기출문제3회 01 정답.sb2]

YBM Coding Specialist

설명

안경이 고양이에 닿으면 잘 보이도록 하는 프로그램입니다.

동작과정

1. ▶ 클릭하면
    → 무대에 모자이크 처리된 고양이와 안경이 보입니다.
    → 안경을 마우스로 움직여 모자이크 처리된 고양이 위로 올리면 고양이가 선명하게 보입니다.
2. 프로그램 종료하기

코딩 스프라이트	안경

지시사항

▶ ▶ 클릭했을 때
1) 다음 지시사항을 순서대로 스크립트를 완성하시오.
    ① 맨 앞으로 순서를 바꾸시오.
    ② 크기를 '**300**'%로 정하시오.
    ③ **마우스 포인터** 위치로 이동하기를 무한 반복하시오.

유의사항

지시사항에서 설명한 블록만 이용하시오.
그렇지 않은 경우 채점되지 않습니다.
지시사항 이외의 블록을 변경하였을 경우 "**다시풀기**" 버튼을 눌러서 초기화 후 문제를 푸시기 바랍니다.

코딩 스프라이트	고양이

지시사항

▶ ▶ 클릭했을 때
1) **안경** 스프라이트에 닿으면, 픽셀화 효과를 '**0**'으로 정하고, 그렇지 않으면 픽셀화 효과를 '**50**'으로 정하시오.

유의사항

지시사항에서 설명한 블록만 이용하시오.
그렇지 않은 경우 채점되지 않습니다.
지시사항 이외의 블록을 변경하였을 경우 "**다시풀기**" 버튼을 눌러서 초기화 후 문제를 푸시기 바랍니다.

최신기출문제 3회 2번

[예제파일 : 최신기출문제3회 02 문제.sb2]   [정답파일 : 최신기출문제3회 02 정답.sb2]

설명
여우가 나뭇가지에서 떨어지는 포도를 받는 프로그램입니다.

동작과정
1. 🏳 클릭하면
   → 나뭇가지에서 포도가 떨어집니다.
   → 방향키(←, →)를 이용하여 여우를 좌우로 움직입니다.
   → 포도가 여우에 닿을 때 스페이스 키를 누르면 받은 포도의 개수가 증가합니다.
2. 프로그램 종료하기

변수설명

▶ 포도
여우가 포도를 받은 개수를 저장하는 변수입니다.

코딩 스프라이트	포도

지시사항

▶ 🏳 *클릭했을 때*
1) 다음 내용을 순서대로 무한 반복하는 스크립트를 완성하시오.
   ① *맨 앞으로 순서를 바꾸시오.*
   ② *보이게 하시오.*
   ③ *좌표 위치를 x: '−200'부터 '200'사이의 난수, y: '180'으로 이동하시오.*
   ④ *크기를 '50'%로 정하시오.*
   ⑤ *'3'초 동안 좌표 위치를 x: 'x좌표', y: '−180'으로 움직이시오.*
   ⑥ *숨기시오.*

유의사항

지시사항에서 설명한 블록만 이용하시오.
그렇지 않은 경우 채점되지 않습니다.
지시사항 이외의 블록을 변경하였을 경우 **"다시풀기"** 버튼을 눌러서 초기화 후 문제를 푸시기 바랍니다.

최신기출문제 3회 3번

[예제파일 : 최신기출문제3회 03 문제.sb2]   [정답파일 : 최신기출문제3회 03 정답.sb2]

YBM Coding Specialist

설명
마녀가 움직이는 공을 피하는 프로그램입니다.

동작과정
1. 🏳 클릭하면
   → 공이 무작위의 위치로 움직입니다.
   → 마녀가 공에 닿지 않도록 마우스를 이용하여 피합니다.
   → 만약 마녀가 공에 닿으면 공을 피한 총 시간을 말합니다
2. 프로그램 종료하기

변수설명

▶ I
   시간에 따라 공의 개수를 증가시키기 위해 사용하는 변수입니다.
▶ **동작**
   공이 무작위의 위치로 움직이게 하는 변수입니다.

코딩 스프라이트	공

지시사항

▶ **변경** 추가블록
1) 동작 변수를 '**1**'부터 '**5**'*사이의 난수*로 정하시오.
2) 모양을 '**공**'과 **동작** 변수를 *결합한* 모양으로 *바꾸시오*.

유의사항

보기블록 스프라이트에 주어진 블록만 이용하시오.
그렇지 않은 경우 채점되지 않습니다.
지시사항 이외의 블록을 변경하였을 경우 **"다시풀기"** 버튼을 눌러서 초기화 후 문제를 푸시기 바랍니다.

최신기출문제 3회 4번

[예제파일 : 최신기출문제3회 04 문제.sb2]　　　　　　　　　　[정답파일 : 최신기출문제3회 04 정답.sb2]

YBM Coding Specialist

설명

나무의 높이에 맞게 여우가 점프를 하여 포도를 따는 프로그램입니다.

동작과정

1. 🏳 클릭하면
2. 방향키(←,→)를 이용하여 여우를 좌우로 움직입니다.
3. 포도를 딸 나무 위치에서 스페이스 키를 누르면 여우가 점프를 합니다.
   → 나무의 높이에 따라 여우가 점프하는 높이가 달라집니다.
   → 포도에 여우가 닿으면 포도의 개수가 증가합니다.
4. 프로그램 종료하기

변수설명

▶ **I**
　포도를 무대에 배치하기 위해 사용하는 변수입니다.
▶ **포도**
　여우가 딴 포도의 수를 저장하는 변수입니다.

코딩 스프라이트	여우

지시사항

▶ **스페이스** *키를 눌렀을 때*
1) *x좌표* 〈 '**1**'*이면* **실행1** *추가블록을 실행하고, 그렇지 않으면* **실행2** *추가블록을 실행하시오.*

유의사항

지시사항에서 설명한 블록만 이용하시오.
그렇지 않은 경우 채점되지 않습니다.
지시사항 이외의 블록을 변경하였을 경우 **"다시풀기"** 버튼을 눌러서 초기화 후 문제를 푸시기 바랍니다.

코딩 스프라이트	포도

지시사항

▶ *복제되었을 때*
1) *x좌표를 I 변수만큼 바꾸시오.*
2) *I 변수를 '***60***' 만큼 바꾸시오.*

유의사항

지시사항에서 설명한 블록만 이용하시오.
그렇지 않은 경우 채점되지 않습니다.
지시사항 이외의 블록을 변경하였을 경우 **"다시풀기"** 버튼을 눌러서 초기화 후 문제를 푸시기 바랍니다.

최신기출문제 3회 5번

[예제파일 : 최신기출문제3회 05 문제.sb2]   [정답파일 : 최신기출문제3회 05 정답.sb2]

YBM Coding Specialist

설명
고양이가 축구공을 차는 프로그램 입니다.

동작과정
1. ▶ 클릭하면
2. 공을 클릭하면 고양이가 공을 찹니다.
   → 공이 빙글빙글 돌아가며 골대로 들어갑니다.
3. 프로그램 종료하기

코딩 스프라이트	축구공

지시사항

▶ **슈팅** 추가블록
1) **고양이** 스프라이트에 *닿으면* *x좌표*가 '**175**'가 될 때까지 *시계방향으로* '**20**'도 돌기를 *반복하도록* 스크립트를 수정하시오.

유의사항

지시사항에서 설명한 블록만 이용하시오.
그렇지 않은 경우 채점되지 않습니다.
지시사항 이외의 블록을 변경하였을 경우 **"다시풀기"** 버튼을 눌러서 초기화 후 문제를 푸시기 바랍니다.

최신기출문제 3회 6번

[예제파일 : 최신기출문제3회 06 문제.sb2]   [정답파일 : 최신기출문제3회 06 정답.sb2]

YBM Coding Specialist

설명

참새가 허수아비를 피해 날아다니는 프로그램입니다.

동작과정

1. 🏳 클릭하면
   → 참새가 무작위로 날아다닙니다.
   → 참새가 허수아비의 모자에 닿으면 새소리를 내며 참새가 사라집니다.
2. 프로그램 종료하기

변수설명

▶ **방향**
  참새가 무작위의 방향으로 움직이게 하는 변수입니다.

코딩 스프라이트	참새

지시사항

▶ **동작 추가블록**
1) 다음 지시사항을 순서대로 **동작** 추가블록 스크립트를 완성하시오.
   ① '1'부터 '10'사이의 난수만큼 움직이게 하시오.
   ② **방향** 변수를 '1'부터 '2' 사이의 난수로 정하시오.
   ③ **방향** 변수 = '1'이면 시계 방향으로 '1'부터 '10'사이의 난수 도로 돌고, 그렇지 않으면 반시계 방향으로 '1'부터 '10'사이의 난수 도로 돌게 하시오.

유의사항

지시사항에서 설명한 블록만 이용하시오.
그렇지 않은 경우 채점되지 않습니다.
지시사항 이외의 블록을 변경하였을 경우 **"다시풀기"** 버튼을 눌러서 초기화 후 문제를 푸시기 바랍니다.

최신기출문제 3회 7번

[예제파일 : 최신기출문제3회 07 문제.sb2]   [정답파일 : 최신기출문제3회 07 정답.sb2]

설명
1부터 9까지 숫자가 순서대로 바뀌는 프로그램입니다.

동작과정
1. 🏳 클릭하면
   → 1부터 9까지 숫자가 순서대로 바뀝니다.
   → 스페이스 키를 누르면 해당 숫자의 크기가 커지고 빨간색으로 바뀝니다.
2. 프로그램 종료하기

코딩 스프라이트	숫자1

지시사항

▶ **선택** 추가블록
1) 다음 지시사항을 순서대로 **선택** 추가블록 스크립트를 완성하시오.
   ① **스페이스** *키를 누를 때까지 다음 모양으로 바꾸기를 반복하시오.*
   ② **'pop'** *소리를 끝까지 재생하시오.*

유의사항

지시사항에서 설명한 블록만 이용하시오.
그렇지 않은 경우 채점되지 않습니다.
지시사항 이외의 블록을 변경하였을 경우 **"다시풀기"** 버튼을 눌러서 초기화 후 문제를 푸시기 바랍니다.

최신기출문제 3회 8번

[예제파일 : 최신기출문제3회 08 문제.sb2]   [정답파일 : 최신기출문제3회 08 정답.sb2]

설명
입력한 문자나 숫자를 곰이 똑같이 말하는 프로그램입니다.

동작과정
1. 🏳 클릭하면
   → 곰이 "문자 또는 숫자를 입력하세요."를 말합니다.
2. 입력란에 문자 또는 숫자를 입력합니다.
   → 입력한 문자 또는 숫자를 곰이 똑같이 말합니다.
3. 프로그램 종료하기

변수설명

▶ N
   리스트에서 값을 가져오기 위해 사용하는 변수입니다.
▶ 입력
   입력한 문자 또는 숫자가 저장되는 변수입니다.

코딩 스프라이트	곰

지시사항

▶ **입력** *추가블록*
1) 다음 지시사항을 **입력** 변수의 *길이만큼 반복하는* 스크립트를 완성하시오.
   ① **입력** 변수의 N 변수 번째 글자 항목을 **문자열** 리스트에 추가하시오.
   ② N변수를 '1'*만큼 바꾸시오.*

유의사항

지시사항에서 설명한 블록만 이용하시오.
그렇지 않은 경우 채점되지 않습니다.
지시사항 이외의 블록을 변경하였을 경우 **"다시풀기"** 버튼을 눌러서 초기화 후 문제를 푸시기 바랍니다.

최신기출문제 3회 9번

[예제파일 : 최신기출문제3회 09 문제.sb2]   [정답파일 : 최신기출문제3회 09 정답.sb2]

YBM Coding Specialist

설명

연필의 색깔을 바꿔가며 그림을 그리는 프로그램입니다.

동작과정

1. 🏴 클릭하면
   → 마우스 포인터 위치에 따라 연필이 움직이며 그림을 그립니다.
2. 스페이스 키를 누르면 "무슨 색으로 바꿀까요?"라고 묻습니다.
   → 입력란에 '빨강', '파랑', '검정' 중 한 가지를 입력하면 입력한 색으로 바뀝니다.
3. 프로그램 종료하기

코딩 스프라이트	연필

지시사항

▶ **색변경** 추가블록
1) 다음 지시사항을 순서대로 **색변경** 추가블록 스크립트를 완성하시오.
   ① **색깔** 매개 변수가 **'빨강'**이면 *펜 색깔을 빨간색으로 정하시오.*
   ② **색깔** 매개 변수가 **'파랑'**이면 *펜 색깔을 파란색으로 정하시오.*
   ③ **색깔** 매개 변수가 **'검정'**이면 *펜 색깔을 검정색으로 정하시오.*

유의사항

지시사항에서 설명한 블록만 이용하시오.
그렇지 않은 경우 채점되지 않습니다.
지시사항 이외의 블록을 변경하였을 경우 **"다시풀기"** 버튼을 눌러서 초기화 후 문제를 푸시기 바랍니다.

최신기출문제 3회 10번

[예제파일 : 최신기출문제3회 10 문제.sb2]   [정답파일 : 최신기출문제3회 10 정답.sb2]

YBM Coding Specialist

설명
힘과 방향을 조절해 큐대로 흰공을 치는 프로그램입니다.

동작과정
1. 🏳 클릭하면
2. 키보드의 숫자 키(1~9)를 눌러 흰공을 치는 힘을 정합니다.
3. 방향키(←, →)를 눌러 흰공을 칠 방향을 정합니다.
   → 스페이스 키를 누르면 설정한 힘과 방향으로 공을 칩니다.
4. 프로그램 종료하기

변수설명

▶ **방향**
  흰공을 칠 방향을 정하는 변수입니다.
▶ **힘**
  흰공을 칠 힘을 정하는 변수입니다.

코딩 스프라이트	큐대

상황설명
▶ 큐대로 흰공을 치려면 큐대와 흰공이 일직선상에 있어야 합니다. 만약 흰공의 위치가 바뀌면 큐대는 흰공의 위치로 움직여야 합니다.

지시사항
▶ **이동** *메시지를 받았을 때*
1) **큐대** 스프라이트가 **흰공** 스프라이트와 일직선이 되도록 큐대의 좌표를 수정하시오.

유의사항
지시사항에서 설명한 블록만 이용하시오.
그렇지 않은 경우 채점되지 않습니다.
지시사항 이외의 블록을 변경하였을 경우 **"다시풀기"** 버튼을 눌러서 초기화 후 문제를 푸시기 바랍니다.

최신기출문제 4회 1번

[예제파일 : 최신기출문제4회 01 문제.sb2]   [정답파일 : 최신기출문제4회 01 정답.sb2]

YBM Coding Specialist

설명

반투명한 고양이 위에 안경을 위치시키면 고양이가 선명하고 크게 보이도록 하는 프로그램입니다.

동작과정

1. ⚑ 클릭하면
    → 무대에 반투명한 고양이와 안경이 보입니다.
    → 마우스로 안경을 반투명한 고양이 위로 위치시키면 고양이가 선명하고 크게 보입니다.
2. 프로그램 종료하기

코딩 스프라이트	안경

지시사항

▶ ⚑ 클릭했을 때
1) 다음 지시사항을 무한 반복시키시오.
    ① 마우스 포인터 위치로 이동하시오.

유의사항

지시사항에서 설명한 블록만 이용하시오.
그렇지 않은 경우 채점되지 않습니다.
지시사항 이외의 블록을 변경하였을 경우 **"다시풀기"** 버튼을 눌러서 초기화 후 문제를 푸시기 바랍니다.

코딩 스프라이트	고양이

지시사항

▶ ⚑ 클릭했을 때
1) **안경** 스프라이트에 닿지 않았을 때 다음 지시사항을 순서대로 작성하시오.
    ① 반투명 효과를 '**50**'으로 정하시오.
    ② 크기를 '**100**'%로 정하시오.

유의사항

지시사항에서 설명한 블록만 이용하시오.
그렇지 않은 경우 채점되지 않습니다.
지시사항 이외의 블록을 변경하였을 경우 **"다시풀기"** 버튼을 눌러서 초기화 후 문제를 푸시기 바랍니다.

최신기출문제 4회 2번

[예제파일 : 최신기출문제4회 02 문제.sb2]   [정답파일 : 최신기출문제4회 02 정답.sb2]

YBM Coding Specialist

설명

늑대가 입바람을 불면 지푸라기집이 무너지는 프로그램입니다.

동작과정

1. ⚑ 클릭하면
   → 스페이스 키를 누르면 늑대가 입바람을 붑니다.
   → 지푸라기집이 무너집니다.
2. 프로그램 종료하기

코딩 스프라이트	늑대

지시사항

▶ **스페이스** 키를 눌렀을 때
1) 다음 지시사항을 순서대로 작성하시오.
   ① 모양을 **숨쉬기**로 바꾸시오.
   ② '**입바람**' 메시지를 방송하시오.

유의사항

지시사항에서 설명한 블록만 이용하시오.
그렇지 않은 경우 채점되지 않습니다.
지시사항 이외의 블록을 변경하였을 경우 **"다시풀기"** 버튼을 눌러서 초기화 후 문제를 푸시기 바랍니다.

코딩 스프라이트	집

지시사항

▶ **입바람** 메시지를 받았을 때
1) 다음 지시사항을 순서대로 작성하시오.
   ① '**1**'초 기다리시오.
   ② 모양을 **흔들리는집**으로 바꾸시오.
   ③ '**1**'초 기다리시오.
   ④ 모양을 **무너진집**으로 바꾸시오.

유의사항

지시사항에서 설명한 블록만 이용하시오.
그렇지 않은 경우 채점되지 않습니다.
지시사항 이외의 블록을 변경하였을 경우 **"다시풀기"** 버튼을 눌러서 초기화 후 문제를 푸시기 바랍니다.

최신기출문제 4회 3번

[예제파일 : 최신기출문제4회 03 문제.sb2]   [정답파일 : 최신기출문제4회 03 정답.sb2]

Coding Specialist

설명
0부터 9까지의 숫자가 순서대로 바뀌는 프로그램입니다.

동작과정
1. ▶ 클릭하면
   → 0부터 9까지의 숫자가 순서대로 바뀝니다.
   → 스페이스 키를 누르면 더 이상 숫자가 바뀌지 않습니다.
2. 프로그램 종료하기

코딩 스프라이트	숫자

지시사항

▶ ▶ 클릭했을 때
1) 다음 지시사항을 순서대로 무한 반복시키시오.
   ① 다음 모양으로 바꾸시오.
   ② '0.3'초 기다리시오.

▶ **스페이스** 키를 눌렀을 때
1) 스크립트를 모두 멈추시오.

유의사항

보기블록 스프라이트에 주어진 블록만 이용하시오.
그렇지 않은 경우 채점되지 않습니다.
지시사항 이외의 블록을 변경하였을 경우 **"다시풀기"** 버튼을 눌러서 초기화 후 문제를 푸시기 바랍니다.

최신기출문제 4회 4번

[예제파일 : 최신기출문제4회 04 문제.sb2]   [정답파일 : 최신기출문제4회 04 정답.sb2]

YBM Coding Specialist

설명
고양이가 미로 안에 놓인 깃발을 찾아가는 프로그램입니다.

동작과정
1. 🏁 클릭하면
    → 방향키(↑,↓,←,→)를 누르면 고양이가 상, 하, 좌, 우로 움직입니다.
    → 고양이가 검정색 벽에 닿으면 처음 시작한 위치로 돌아갑니다.
    → 녹색 깃발을 잡으면 배경이 '클리어'로 바뀝니다.
2. 프로그램 종료하기

코딩 스프라이트	고양이

지시사항

▶ **왼쪽 하살표** 키를 눌렀을 때
1) 다음 지시사항을 순서대로 작성하시오.
    ① **고양이** 스프라이트가 '**-90**'도 방향을 보게 하시오.
    ② x좌표를 '**-5**'만큼 바꾸시오.

▶ 배경이 **클리어**로 바뀌었을 때
1) **고양이** 스프라이트를 숨기시오.

유의사항

지시사항에서 설명한 블록만 이용하시오.
그렇지 않은 경우 채점되지 않습니다.
지시사항 이외의 블록을 변경하였을 경우 **"다시풀기"** 버튼을 눌러서 초기화 후 문제를 푸시기 바랍니다.

최신기출문제 4회 5번

[예제파일 : 최신기출문제4회 05 문제.sb2]   [정답파일 : 최신기출문제4회 05 정답.sb2]

YBM Coding Specialist

설명
고양이가 축구공을 차는 프로그램입니다.

동작과정
1. 🏳 클릭하기
2. 스페이스 키를 누르면 고양이가 공을 찹니다.
3. 공이 빙글빙글 돌아가며 골대를 향해 굴러갑니다.
4. 프로그램 종료하기

코딩 스프라이트	축구공

지시사항

▶ **슈팅** 추가블록
1) **축구공** 스프라이트가 **고양이** 스프라이트에 닿으면 x좌표가 '175'가 될 때까지 오른쪽으로 '15'도 돌기를 반복하도록 잘못된 스크립트 명령 블록 1개를 수정하시오.

▶ **스페이스** 키를 눌렀을 때
1) **고양이** 스프라이트가 공을 차고 난 후에 **축구공** 스프라이트가 움직이도록 잘못된 스크립트 명령 블록 1개를 수정하시오.

유의사항

지시사항에서 설명한 블록만 이용하시오.
그렇지 않은 경우 채점되지 않습니다.
지시사항 이외의 블록을 변경하였을 경우 **"다시풀기"** 버튼을 눌러서 초기화 후 문제를 푸시기 바랍니다.

최신기출문제 4회 6번

[예제파일 : 최신기출문제4회 06 문제.sb2]　　　　　　　　　　　　　[정답파일 : 최신기출문제4회 06 정답.sb2]

YBM Coding Specialist

설명
키커가 공을 차면 골키퍼가 공을 잡기 위해 움직이는 프로그램의 일부입니다.

동작과정
1. 🏳 클릭하면
   → 무대의 신호 변수에 '3', '2', '1', 'Shoot'이 순서대로 표시됩니다.
   → 'Shoot'이 표시된 이후에 스페이스 키를 누르면 키커가 공을 찹니다.
   → 축구공이 세 방향(왼쪽, 중앙, 오른쪽) 중 무작위의 한 방향으로 굴러갑니다.
2. 프로그램 종료하기

변수설명

▶ **신호**
'3', '2', '1', 'Shoot' 순서로 키커가 공을 찰 시기를 알려주는 변수입니다.

▶ **차는방향**
'1' – 공을 골대 왼쪽으로 보내기
'2' – 공을 골대 중앙으로 보내기
'3' – 공을 골대 오른쪽으로 보내기

코딩 스프라이트	키커

지시사항

▶ 스페이스 키를 눌렀을 때
1) **키커** 스프라이트가 세 방향(왼쪽, 중앙, 오른쪽) 중 무작위의 한 방향으로 움직이도록 차는 방향 변수를 '1'부터 '3'사이의 난수로 정하시오.

유의사항

지시사항에서 설명한 블록만 이용하시오.
그렇지 않은 경우 채점되지 않습니다.
지시사항 이외의 블록을 변경하였을 경우 **"다시풀기"** 버튼을 눌러서 초기화 후 문제를 푸시기 바랍니다.

최신기출문제 4회 7번

[예제파일 : 최신기출문제4회 07 문제.sb2]   [정답파일 : 최신기출문제4회 07 정답.sb2]

YBM Coding Specialist

설명

연필심의 색을 바꾸는 프로그램입니다.

동작과정

1. 🏳 클릭하기
2. 'c'키를 누르면 연필심의 색이 '검정', '빨강', '파랑' 순으로 바뀝니다.
   → 마우스를 움직이면 해당 색상의 선이 그려집니다.
3. 프로그램 종료하기

변수설명

▶ **색**
   연필의 색을 지정하기 위해 사용하는 변수입니다.

코딩 스프라이트	색

지시사항

▶ **'c'** 키를 눌렀을 때
1) 다음 지시사항을 순서대로 작성하시오.
   ① **색** 스프라이트를 다음 모양으로 바꾸시오.
   ② **색** 변수를 **모양#**으로 정하시오.
   ③ **'색변경'** 메시지를 방송하시오.

유의사항

보기블록 스프라이트에 주어진 블록만 이용하시오.
그렇지 않은 경우 채점되지 않습니다.
지시사항 이외의 블록을 변경하였을 경우 **"다시풀기"** 버튼을 눌러서 초기화 후 문제를 푸시기 바랍니다.

최신기출문제 4회 8번

[예제파일 : 최신기출문제4회 08 문제.sb2]   [정답파일 : 최신기출문제4회 08 정답.sb2]

YBM Coding Specialist

설명
전기 사용량을 알려주는 프로그램입니다.

동작과정
1. ⚑ 클릭하기
2. ON버튼을 누르면 무대가 밝아지며 전기 사용량이 올라갑니다.
3. OFF버튼을 누르면 무대가 어두워지며 전기 사용량이 멈춥니다.
   → 전구가 전기 사용량을 말합니다.
4. 프로그램 종료하기

변수설명

▶ **감지**
  OFF를 눌렀는지를 감지하는 변수입니다.
▶ **사용량**
  ON을 누르면 증가하는 변수입니다.

코딩 스프라이트	ON

지시사항

▶ **사용량** 추가블록
1) **감지** 변수가 '1'이 될 때까지 다음 지시사항을 반복하시오.
   ① **사용량** 변수를 '1'만큼 바꾸시오.
   ② '0.01'초 기다리시오.

▶ **OFF** 메시지를 받았을 때
1) 모양을 **ON2**로 바꾸시오.

유의사항

보기블록 스프라이트에 주어진 블록만 이용하시오.
그렇지 않은 경우 채점되지 않습니다.
지시사항 이외의 블록을 변경하였을 경우 **"다시풀기"** 버튼을 눌러서 초기화 후 문제를 푸시기 바랍니다.

최신기출문제 4회 9번

[예제파일 : 최신기출문제4회 09 문제.sb2]　　　　　　　　　　　　　　　[정답파일 : 최신기출문제4회 09 정답.sb2]

설명

잠자는 고양이 목에 방울을 다는 프로그램입니다.

동작과정

1. 🚩 클릭하기
2. 방울을 드래그 하여 고양이 목에 답니다.
   → 고양이가 눈을 뜨고 있을 때 방울을 달면 '야옹'을 말합니다.
   → 고양이가 낮잠을 자고 있을 때 방울을 달면 '성공'을 말합니다.
3. 프로그램 종료하기

코딩 스프라이트	고양이

지시사항

▶ **일어남** *추가블록*

1) 만약 **방울** 스프라이트에 닿으면 다음 지시사항을 순서대로 실행시키시오.
   ① '야옹'을 '2'초 동안 말하시오.
   ② '실패' 메시지를 방송하시오.

▶ **낮잠** *추가블록*

1) 만약 **방울** 스프라이트에 닿으면 다음 지시사항을 순서대로 실행시키시오.
   ① '성공'을 말하시오.
   ② 스프라이트에 있는 다른 스크립트를 멈추시오.

유의사항

보기블록 스프라이트에 주어진 블록만 이용하시오.

그렇지 않은 경우 채점되지 않습니다.

지시사항 이외의 블록을 변경하였을 경우 **"다시풀기"** 버튼을 눌러서 초기화 후 문제를 푸시기 바랍니다.

최신기출문제 4회 10번

[예제파일 : 최신기출문제4회 10 문제.sb2]   [정답파일 : 최신기출문제4회 10 정답.sb2]

YBM Coding Specialist

설명
'3', '6', '9'가 들어가는 숫자에 박수를 치는 369게임 프로그램입니다.

동작과정
1. 🚩 클릭하면
   → 펭귄이 '1', '2', '3', '4', '5', '6', '7', '8', '9', '10'의 숫자를 차례대로 말합니다.
   ▶ '3', '6', '9'가 들어가는 숫자인 경우에는 숫자 대신 '박수 짝'을 말합니다.
2. 프로그램 종료하기

변수설명

▶ N
숫자를 세기 위해 사용하는 변수입니다.

코딩 스프라이트	펭귄

지시사항

▶ 🚩 클릭했을 때
1) **펭귄** 스프라이트가 '1', '2', '3', '4', '5', '6', '7', '8', '9', '10'을 차례대로 말하도록 잘못된 스크립트를 찾아 수정하시오. (단, '**3**', '**6**', '**9**'에서는 '**박수 짝**'을 말하시오.)

유의사항

지시사항에서 설명한 블록만 이용하시오.
그렇지 않은 경우 채점되지 않습니다.
지시사항 이외의 블록을 변경하였을 경우 **"다시풀기"** 버튼을 눌러서 초기화 후 문제를 푸시기 바랍니다.

최신기출문제 5회 1번

[예제파일 : 최신기출문제5회 01 문제.sb2]　　　　　　　　　　　　　　[정답파일 : 최신기출문제5회 01 정답.sb2]

설명

비가 내리면 수위가 높아지는 프로그램입니다.

동작과정

1. 🏴 클릭하면
2. 비가 내립니다.
　→ 수위가 점점 높아집니다.
　→ 10번 반복합니다.
3. 프로그램 종료하기

변수설명

▶ N
　빗방울을 복제하기 위해 사용하는 변수입니다.

코딩 스프라이트	빗방울

지시사항

▶ **이동** *추가블록*
1) **빗방울** 스프라이트를 좌표위치 x: '**−180**'*부터* '**180**'*사이의 난수*, y: '**180**'에 위치시키시오.
2) **빗방울** 스프라이트가 1초 동안 좌표위치 x: **x좌표**, y : '**−180**'으로 움직이게 하시오.

유의사항

지시사항에서 설명한 블록만 이용하시오.
그렇지 않은 경우 채점되지 않습니다.
지시사항 이외의 블록을 변경하였을 경우 **"다시풀기"** 버튼을 눌러서 초기화 후 문제를 푸시기 바랍니다.

코딩 스프라이트	수위

지시사항

▶ 복제되었을 때
1) y좌표를 N만큼 바꾸시오.

유의사항

지시사항에서 설명한 블록만 이용하시오.
그렇지 않은 경우 채점되지 않습니다.
지시사항 이외의 블록을 변경하였을 경우 **"다시풀기"** 버튼을 눌러서 초기화 후 문제를 푸시기 바랍니다.

최신기출문제 5회 2번

[예제파일 : 최신기출문제5회 02 문제.sb2]   [정답파일 : 최신기출문제5회 02 정답.sb2]

YBM Coding Specialist

설명
파리를 잡는 프로그램입니다.

동작과정
1. 🚩 클릭하면
   → 창문에 파리가 붙어 있습니다.
   → 파리채로 파리를 클릭하면 파리가 사라집니다.
   → 0.5초 후에 창문의 다른 위치에 파리가 붙습니다.
2. 프로그램 종료하기

코딩 스프라이트	파리

지시사항

▶ 🚩 *클릭했을 때*
1) **파리** 스프라이트를 좌표위치 x: '**–50**', y: '**100**'으로 이동시키시오.

▶ **잡기** 메시지를 받았을 때
1) 다음 지시사항을 순서대로 작성하시오.
   ① **파리** 스프라이트를 숨기시오.
   ② **파리** 스프라이트를 '**0.5**'초 기다리게 하시오.
   ③ **파리** 스프라이트를 보이게 하시오.
   ④ **파리** 스프라이트를 좌표위치 x: '**–150**'*부터* '**150**'*사이의 난수*, y: '**–10**'*부터* '**140**'*사이의 난수*로 이동 시키시오.

유의사항

보기블록 스프라이트에 주어진 블록만 이용하시오.
그렇지 않은 경우 채점되지 않습니다.
지시사항 이외의 블록을 변경하였을 경우 "**다시풀기**" 버튼을 눌러서 초기화 후 문제를 푸시기 바랍니다.

최신기출문제 5회 3번

[예제파일 : 최신기출문제5회 03 문제.sb2]   [정답파일 : 최신기출문제5회 03 정답.sb2]

YBM Coding Specialist

설명
물고기가 상어를 피하는 프로그램입니다.

동작과정
1. 🏴 클릭하면
   → 상어가 무대를 돌아다닙니다.
   → 상어를 피하기 위해 방향키(↑, ↓, ←, →)를 이용하여 상, 하, 좌, 우로 물고기를 움직입니다.
   → 만약 물고기가 상어에 닿으면 물고기가 사라집니다.
   → 상어가 물고기를 잡기 위해 걸린 시간을 말합니다.
2. 프로그램 종료하기

코딩 스프라이트	상어

지시사항

▶ **사냥** 추가블록
1) **상어** 스프라이트가 **물고기** 스프라이트에 닿을 때까지 다음 지시사항을 순서대로 반복하시오.
   ① '10'만큼 움직이시오.
   ② 시계방향으로 '-30'*부터* '30'*사이의 난수* 각 도로 돌게 하시오.
   ③ 벽에 닿으면 튕기게 하시오.

유의사항

지시사항에서 설명한 블록만 이용하시오.
그렇지 않은 경우 채점되지 않습니다.
지시사항 이외의 블록을 변경하였을 경우 **"다시풀기"** 버튼을 눌러서 초기화 후 문제를 푸시기 바랍니다.

코딩 스프라이트	물고기

지시사항

▶ **잡힘** 메시지를 받았을 때
1) **물고기** 스프라이트의 크기를 '-10'만큼 바꾸기를 '10'번 반복하시오.
2) **물고기** 스프라이트를 숨기시오.

유의사항

보기블록 스프라이트에 주어진 블록만 이용하시오.
그렇지 않은 경우 채점되지 않습니다.
지시사항 이외의 블록을 변경하였을 경우 **"다시풀기"** 버튼을 눌러서 초기화 후 문제를 푸시기 바랍니다.

최신기출문제 5회 4번

[예제파일 : 최신기출문제5회 04 문제.sb2]   [정답파일 : 최신기출문제5회 04 정답.sb2]

YBM Coding Specialist

설명

상대방이 공을 받지 못하게 하는 2인용 핑퐁게임 프로그램입니다.

동작과정

1. ▶ 클릭하면
   → 공이 왼쪽 방향 또는 오른쪽 방향으로 움직입니다.
   → 키보드(w, s)키를 이용하여 빨간색 라켓을 위/아래로 움직이고, 방향키(↑,↓)를 이용하여 파란색 라켓을 위/아래로 움직여 공을 상대방으로 보냅니다.
      ▶ 공이 무대의 왼쪽 벽(빨강벽)에 부딪치면 BlueScore가 '1' 증가합니다.
      ▶ 공이 무대의 왼쪽 벽(파랑벽)에 부딪치면 RedScore가 '1' 증가합니다.
2. 프로그램 종료하기

변수설명

▶ Bluescore
   파랑 팀의 점수가 저장되는 변수입니다.
▶ Redscore
   빨강 팀의 점수가 저장되는 변수입니다

코딩 스프라이트	빨간색 바

지시사항

▶ ▶ 클릭했을 때
1) 다음 지시사항이 순서대로 무한 반복하도록 스크립트를 작성하시오.
   ① 만약 'w'키를 눌렀다면 y좌표를 '10' 만큼 바꾸시오.
   ② 만약 's'키를 눌렀다면 y좌표를 '-10'만큼 바꾸시오.

유의사항

지시사항에서 설명한 블록만 이용하시오.
그렇지 않은 경우 채점되지 않습니다.
지시사항 이외의 블록을 변경하였을 경우 **"다시풀기"** 버튼을 눌러서 초기화 후 문제를 푸시기 바랍니다.

코딩 스프라이트	파란색 바

지시사항

▶ ▶ 클릭했을 때
1) 다음 지시사항이 순서대로 무한반복하도록 스크립트를 작성하시오.
   ① 만약 **위쪽 화살표** 키를 눌렀다면 y좌표를 '10'만큼 바꾸시오.
   ② 만약 **아래쪽 화살표** 키를 눌렀다면 y좌표를 '-10'만큼 바꾸시오.

유의사항

지시사항에서 설명한 블록만 이용하시오.

그렇지 않은 경우 채점되지 않습니다.

지시사항 이외의 블록을 변경하였을 경우 **"다시풀기"** 버튼을 눌러서 초기화 후 문제를 푸시기 바랍니다.

최신기출문제 5회 5번

[예제파일 : 최신기출문제5회 05 문제.sb2]   [정답파일 : 최신기출문제5회 05 정답.sb2]

YBM Coding Specialist

설명
대상(청소년, 성인)과 인원수에 따라 1인당 몇 잔의 물을 마실 수 있는지를 계산하는 프로그램입니다.

동작과정
1. ⚑ 클릭하기
   → 현재 물의 양을 입력합니다.
   → 대상(청소년, 성인)을 입력합니다.
   → 물을 마시는 인원수를 입력합니다.
   → 1인당 물을 몇 잔 마실 수 있는지를 계산합니다.
   → 고양이가 계산 결과를 말합니다.
2. 프로그램 종료하기

변수설명

▶ **결과**
  결과 값이 저장되는 변수입니다.
▶ **대상**
  대상이 저장되는 변수입니다.
▶ **물**
  물의 양이 저장되는 변수입니다.
▶ **물분배**
  현재 물의 양을 인원수로 나눈 값이 저장되는 변 수입니다.
▶ **성인**
  성인의 컵에 담을 수 있는 물의 양을 저장하는 변 수입니다.
▶ **인원**
  인원수가 저장되는 변수입니다.
▶ **청소년**
  청소년의 컵에 담을 수 있는 물의 양을 저장하는 변수입니다.

코딩 스프라이트	고양이

지시사항

▶ **계산 추가블록**
1) 다음 지시사항을 순서대로 작성하시오.
   ① **물분배** 변수를 '**물 / 인원수**'로 정하시오.
   ② 만약 **대상** 매개변수가 '**청소년**'이면 **결과** 변수를 '**물분배 / 200**' 으로 정하시오.
   ③ 만약 **대상** 매개변수가 '**성인**'이면 **결과** 변수를 '**물분배 / 300**' 으로 정하시오.

> ### ※ 참고
>
> **유의사항**
>
> **보기블록** 스프라이트에 주어진 블록만 이용하시오.
> 그렇지 않은 경우 채점되지 않습니다.
> 지시사항 이외의 블록을 변경하였을 경우 **"다시풀기"** 버튼을 눌러서 초기화 후 문제를 푸시기 바랍니다.

MEMO

최신기출문제 5회 6번

[예제파일 : 최신기출문제5회 06 문제.sb2]   [정답파일 : 최신기출문제5회 06 정답.sb2]

YBM Coding Specialist

설명
혈액형을 검사하는 프로그램입니다.

동작과정
1. ⚑ 클릭하기
2. 시약이 들어있는 스포이드를 클릭합니다.
   → 응집된 혈액 모양으로 바뀌면 'A형입니다.'를 말합니다.
   → 응집되지 않은 혈액 모양으로 바뀌면 'B형입니다.'를 말합니다.
3. 프로그램 종료하기

변수설명

▶ **모양**
   혈액의 모양 번호가 저장되는 변수입니다.

코딩 스프라이트	혈액

지시사항

▶ 확인 메시지를 받았을 때
1) 다음 지시사항을 순서대로 작성하시오.
   ① 모양을 '**혈액**'과 '2'부터 '3' 사이의 난수를 결합한 모양으로 바꾸시오.
   ② 모양을 **모양#**으로 정하시오.
   ③ **판별** 추가블록을 실행하시오.

▶ **판별** 추가블록
1) 다음 지시사항을 순서대로 작성하시오.
   ① 만약 **모양# = '2'** 이면 크기를 '**300**'%로 정하고, '**B형입니다.**'를 말하시오.
   ② 그렇지 않으면 크기를 '**100**'%로 정하고, '**A형입니다.**'를 말하시오.

유의사항

보기블록 스프라이트에 주어진 블록만 이용하시오.
그렇지 않은 경우 채점되지 않습니다.
지시사항 이외의 블록을 변경하였을 경우 **"다시풀기"** 버튼을 눌러서 초기화 후 문제를 푸시기 바랍니다.

최신기출문제 5회 7번

[예제파일 : 최신기출문제5회 07 문제.sb2]   [정답파일 : 최신기출문제5회 07 정답.sb2]

YBM **Coding Specialist**

설명
사자 목에 방울을 다는 프로그램입니다.

동작과정
1. ▶ 클릭하기
2. 방울을 드래그하여 사자 목에 답니다.
   → 사자가 눈을 뜨고 있을 때 방울을 달면 '어흥!'을 말합니다.
   → 사자가 낮잠을 잘 때 방울을 달면 '성공'을 말합니다.
3. 프로그램 종료하기

코딩 스프라이트	사자

지시사항

▶ **낮잠** 메시지를 받았을 때
1) 다음 지시사항을 순서대로 무한반복하시오.
   ① **사자** 스프라이트의 모양을 **일어난사자**로 바꾸시오.
   ② '**1**'부터 '**5**'사이의 난수 초 기다리시오.
   ③ 사자 스프라이트의 모양을 **잠자는사자**로 바꾸시오.
   ④ '**1**'부터 '**5**'사이의 난수 초 기다리시오.

▶ **일어남** 추가블록
1) 만약 **사자** 스프라이트가 **방울** 스프라이트에 닿으면 다음 지시사항이 순서대로 실행되도록 스크립트를 작성하시오.
   ① '**어흥!**'을 '**2**'초 동안 말하시오.
   ② **실패** 메시지를 방송하시오.

유의사항

지시사항에서 설명한 블록만 이용하시오.
그렇지 않은 경우 채점되지 않습니다.
지시사항 이외의 블록을 변경하였을 경우 **"다시풀기"** 버튼을 눌러서 초기화 후 문제를 푸시기 바랍니다.

최신기출문제 5회 8번

[예제파일 : 최신기출문제5회 08 문제.sb2]   [정답파일 : 최신기출문제5회 08 정답.sb2]

YBM Coding Specialist

설명
포탄을 쏘아 적군의 배를 맞히는 프로그램입니다.

동작과정
1. ⚑ 클릭하면
   → 적군의 배가 무대의 위쪽에서 아래쪽으로 이동합니다.
   → 방향키(←,→)를 이용하여 대포를 왼쪽 또는 오른쪽으로 움직입니다.
   → 스페이스 키를 누르면 대포를 발사합니다.
   → 적군의 배가 포탄에 맞으면 '적선부서짐'모양으로 바뀝니다.
2. 프로그램 종료하기

변수설명

▶ **위치**
석군의 배가 나타나는 위치를 저장하는 변수입니다.

코딩 스프라이트	포탄

지시사항

▶ **스페이스** 키를 눌렀을 때
1) 다음 지시사항을 순서대로 작성하시오.
   ① **포탄** 스프라이트를 보이게 하시오.
   ② **적군배** 스프라이트 또는 벽에 닿을 때까지 **포탄** 스프라이트를 '10'만큼 움직이게 하시오.
   ③ **판별** 추가블록을 실행하시오.

▶ **판별** 추가블록
1) **포탄** 스프라이트가 **적군배** 스프라이트에 닿으면 다음 지시사항을 순서대로 실행하도록 스크립트를 작성하시오.
   ① **명중** 메시지를 방송하시오.
   ② **포탄** 스프라이트를 숨기시오.
   ③ **포탄** 스프라이트를 **대포** 스프라이트 위치로 이동시키시오.

유의사항

보기블록 스프라이트에 주어진 블록만 이용하시오.
그렇지 않은 경우 채점되지 않습니다.
지시사항 이외의 블록을 변경하였을 경우 **"다시풀기"** 버튼을 눌러서 초기화 후 문제를 푸시기 바랍니다.

최신기출문제 5회 9번

[예제파일 : 최신기출문제5회 09 문제.sb2]   [정답파일 : 최신기출문제5회 09 정답.sb2]

YBM Coding Specialist

설명
주어진 예시를 이용하여 세 자리의 자연수를 계산하는 프로그램입니다.

동작과정
1. ⚑ 클릭하면
   → 주어진 예시의 수식을 이용하여 '613'을 계산합니다.
   → 고양이가 계산 결과 '18'을 말합니다.
2. 프로그램 종료하기

※ 예시

변수설명

▶ **자연수**
입력한 자연수가 저장되는 변수입니다.
▶ **결과**
계산 결과가 저장되는 변수입니다.

코딩 스프라이트	고양이

지시사항

▶ ⚑ 클릭했을 때
1) 입력한 자연수의 일의 자리, 십의 자리, 백의 자리 숫자를 서로 곱셈하여 계산 결과를 말하도록 스크립트
   를 작성하시오.

유의사항

보기블록 스프라이트에 주어진 블록만 이용하시오.
그렇지 않은 경우 채점되지 않습니다.
지시사항 이외의 블록을 변경하였을 경우 **"다시풀기"** 버튼을 눌러서 초기화 후 문제를 푸시기 바랍니다.

최신기출문제 5회 10번

[예제파일 : 최신기출문제5회 10 문제.sb2]

[정답파일 : 최신기출문제5회 10 정답.sb2]

YBM Coding Specialist

설명
1부터 10까지 곱셈을 하면서 직선을 그리고 펜 색을 바꾸는 프로그램입니다.

동작과정
1. 🚩 클릭하면
2. 1부터 10까지 곱셈을 시작합니다.
    → 곱이 계산될 때마다 다음을 반복합니다.
        ▶ 길이가 '30'인 직선을 그립니다.
        ▶ 계산 값에 '0.02'를 곱한 수만큼 펜 색깔을 바꿉니다.
3. 프로그램 종료하기

변수설명
▶ **N**
    1부터 10까지 곱셈을 하기 위해 사용하는 변수입니다.
▶ **계산**
    1부터 10까지 곱셈한 값을 저장하는 변수입니다.

코딩 스프라이트	고양이

지시사항
▶ **수행** 추가블록
1) 수식 '1x2x3x4x5x6x7x8x9x10' 가 올바르게 계산되도록 올바르지 못한 명령 블록 한 곳을 수정하시오.

유의사항
지시사항에서 설명한 블록만 이용하시오.
그렇지 않은 경우 채점되지 않습니다.
지시사항 이외의 블록을 변경하였을 경우 **"다시풀기"** 버튼을 눌러서 초기화 후 문제를 푸시기 바랍니다.

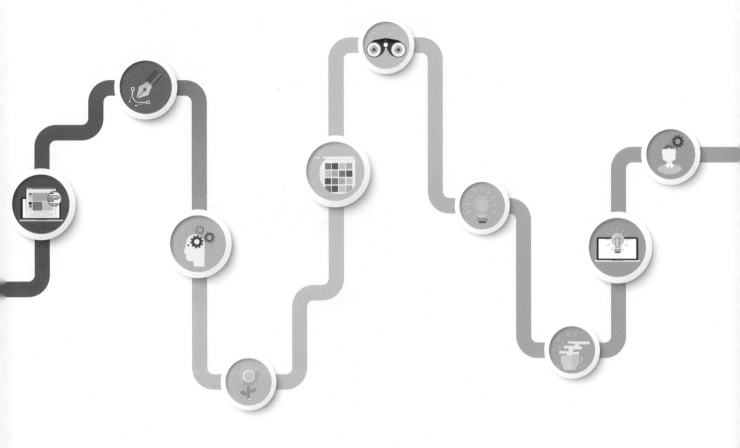

기출유형 파악하기
정답

기출유형파악하기 01

문제	정답 그림
기출유형 파악하기 01	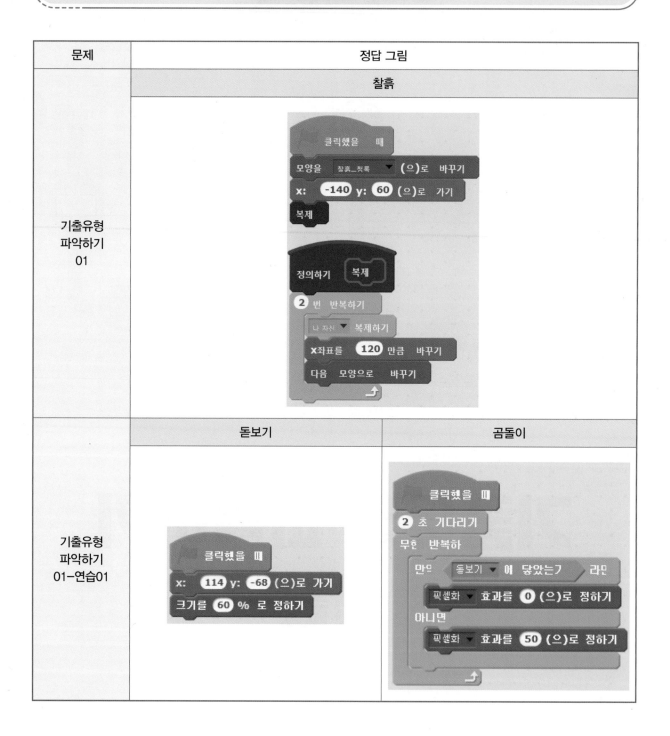

찰흙

클릭했을 때
모양을 찰흙_청록 (으)로 바꾸기
x: -140 y: 60 (으)로 가기
복제

정의하기 복제
2 번 반복하기
나 자신 복제하기
x좌표를 120 만큼 바꾸기
다음 모양으로 바꾸기

기출유형 파악하기 01-연습01	돋보기	곰돌이
	클릭했을 때 x: 114 y: -68 (으)로 가기 크기를 60 % 로 정하기	클릭했을 때 2 초 기다리기 무한 반복하 만으 돋보기 에 닿았는가 라면 픽셀화 효과를 0 (으)로 정하기 아니면 픽셀화 효과를 50 (으)로 정하기

문제	정답 그림
기출유형 파악하기 01-연습02	조명빛
	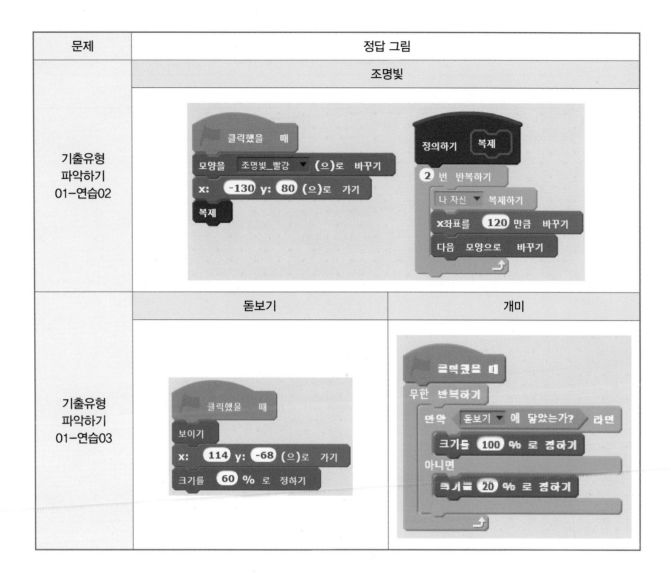
기출유형 파악하기 01-연습03	돋보기 / 개미

기출유형파악하기 02

문제	정답 그림
기출유형 파악하기 02	채집막대 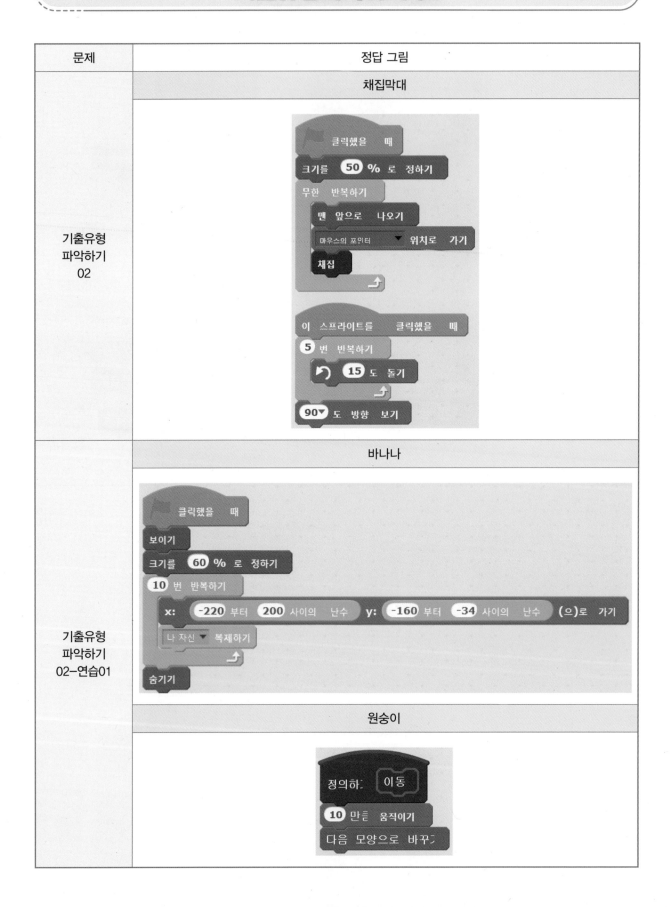
기출유형 파악하기 02-연습01	바나나 원숭이

문제	정답 그림
기출유형 파악하기 02-연습02	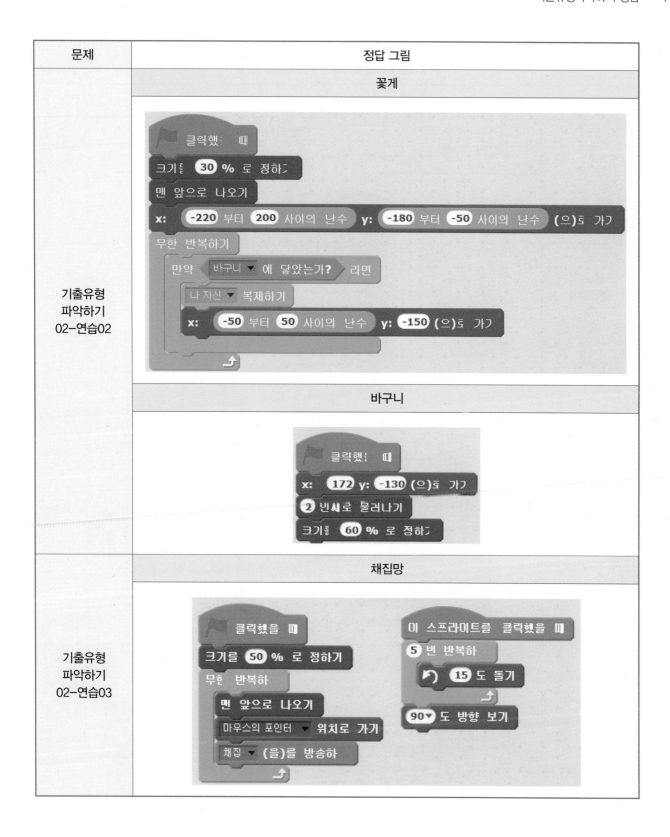

기출유형파악하기 03

문제	정답 그림
기출유형 파악하기 03	카드 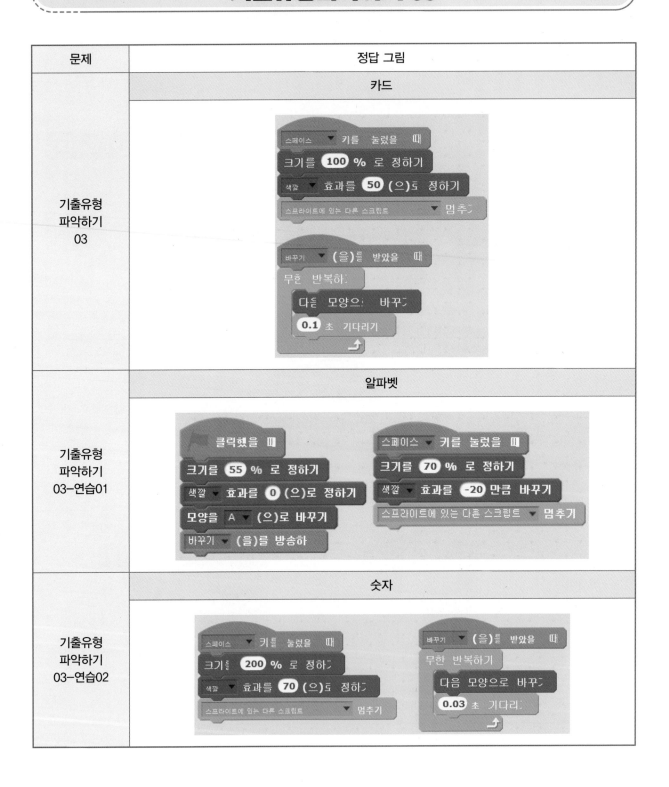
기출유형 파악하기 03-연습01	알파벳
기출유형 파악하기 03-연습02	숫자

문제	정답 그림
기출유형 파악하기 03-연습03	축구공
	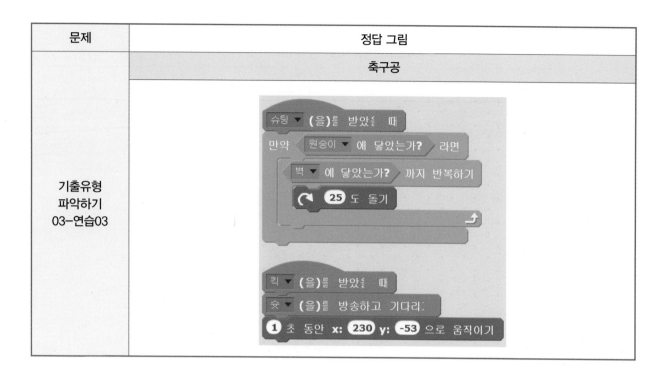

기출유형파악하기 04

문제	정답 그림
기출유형 파악하기 04	배구공 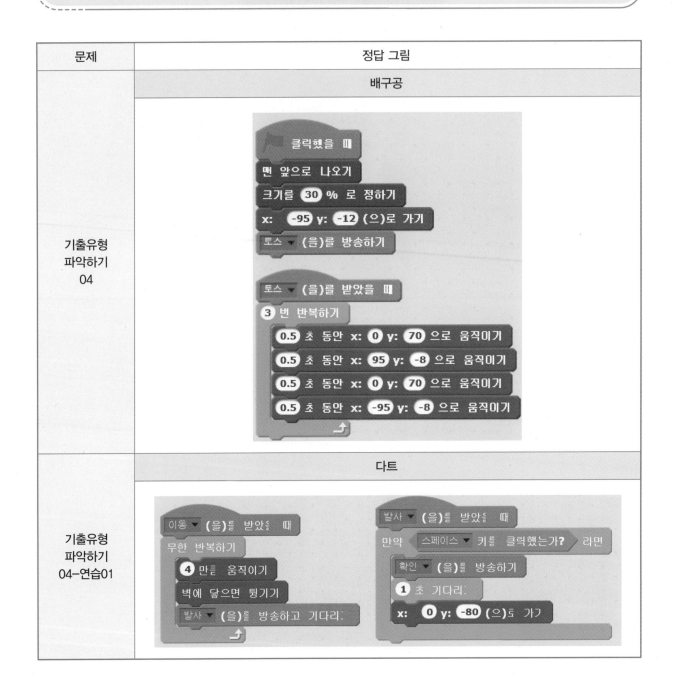
기출유형 파악하기 04-연습01	다트

문제	정답 그림

	풍선	다트
기출유형 파악하기 04-연습02	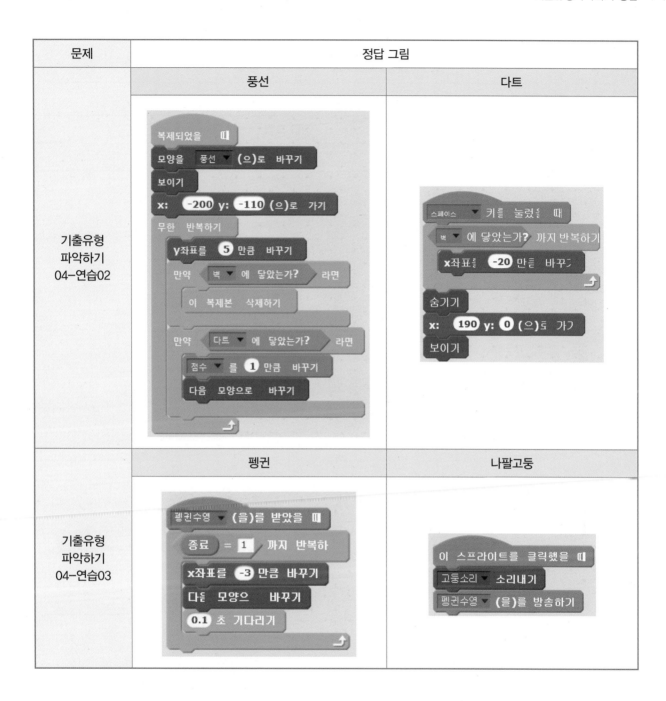	

	펭귄	나팔고둥
기출유형 파악하기 04-연습03		

기출유형파악하기 05

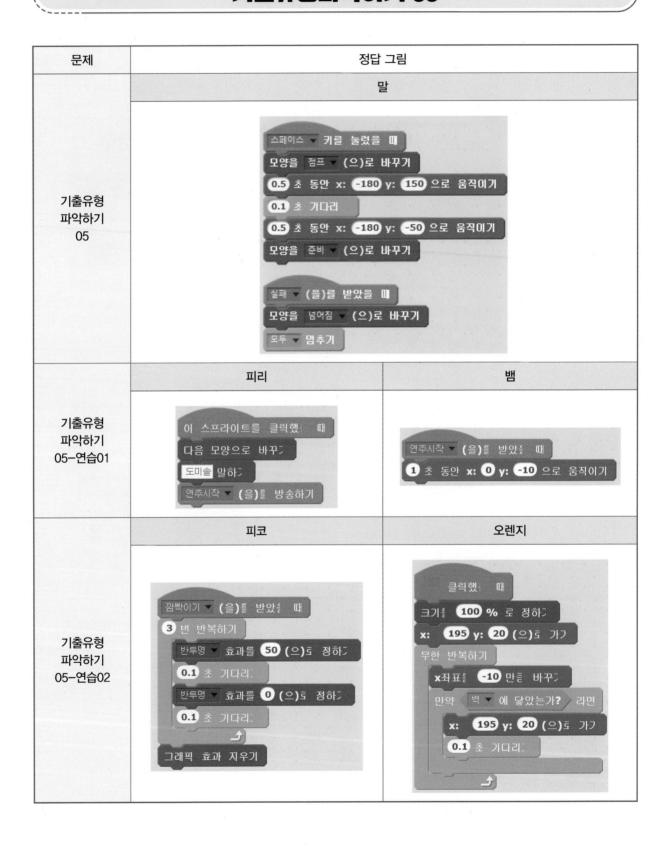

문제	정답 그림
기출유형 파악하기 05	**말**
기출유형 파악하기 05-연습01	**피리** / **뱀**
기출유형 파악하기 05-연습02	**피코** / **오렌지**

문제	정답 그림
	강아지
기출유형 파악하기 05-연습03	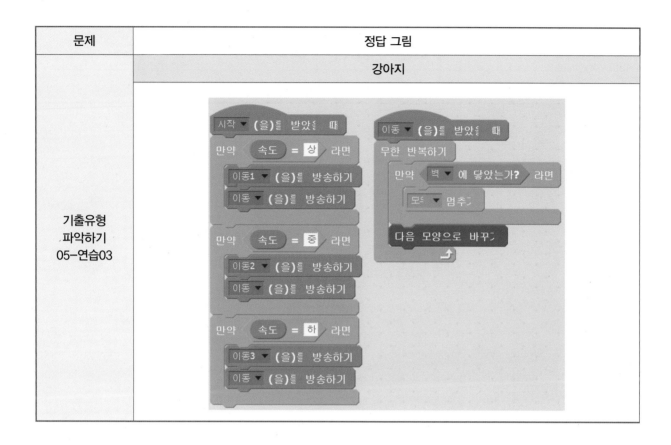

기출유형파악하기 06

문제	정답 그림
기출유형 파악하기 06	

문제	정답 그림
기출유형 파악하기 06-연습02	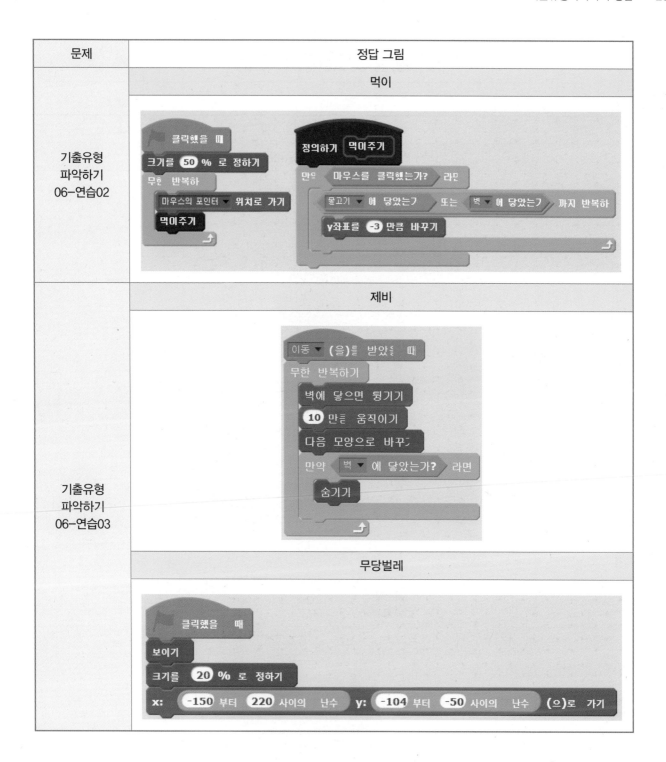

기출유형파악하기 07

문제	정답 그림
기출유형 파악하기 07	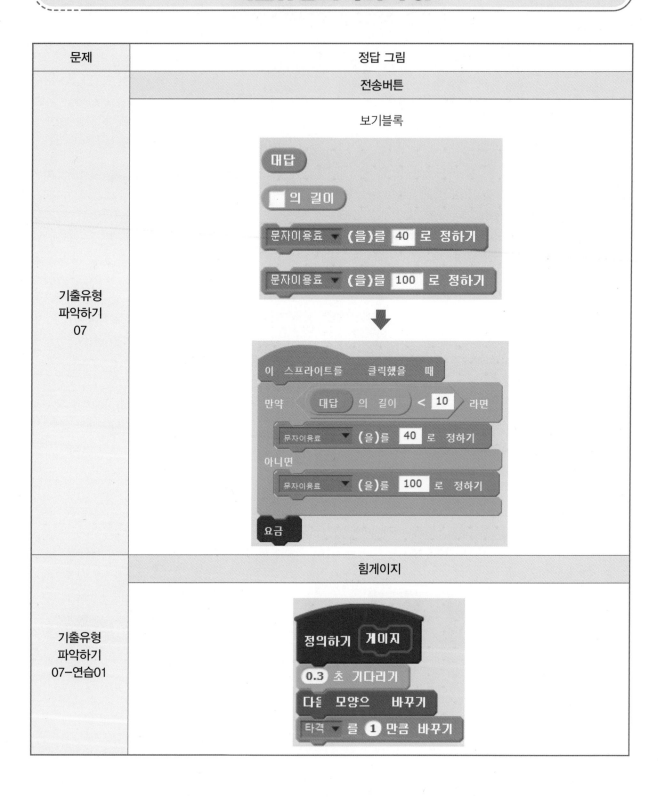

문제	정답 그림
	요금
기출유형 파악하기 07-연습02	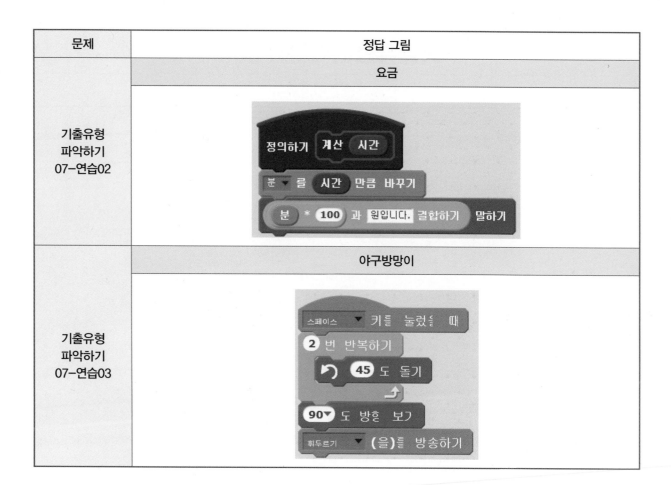
	야구방망이
기출유형 파악하기 07-연습03	

기출유형파악하기 08

문제	정답 그림

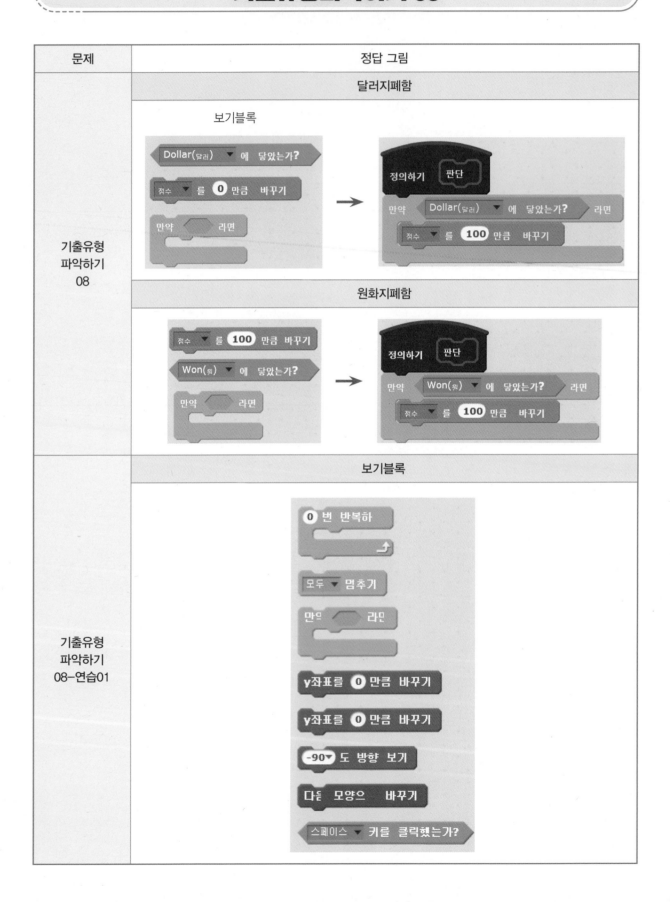

	달러지폐함
	보기블록

	원화지폐함

	보기블록

기출유형
파악하기
08

기출유형
파악하기
08-연습01

문제	정답 그림

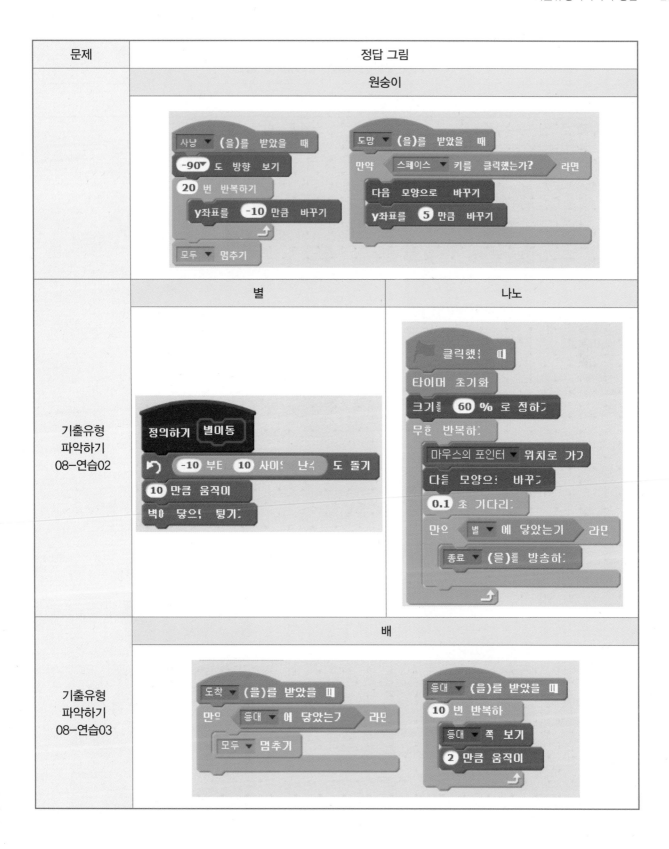

	원숭이
기출유형 파악하기 08-연습02	별 / 나노
기출유형 파악하기 08-연습03	배

기출유형파악하기 09

문제	정답 그림
기출유형 파악하기 09	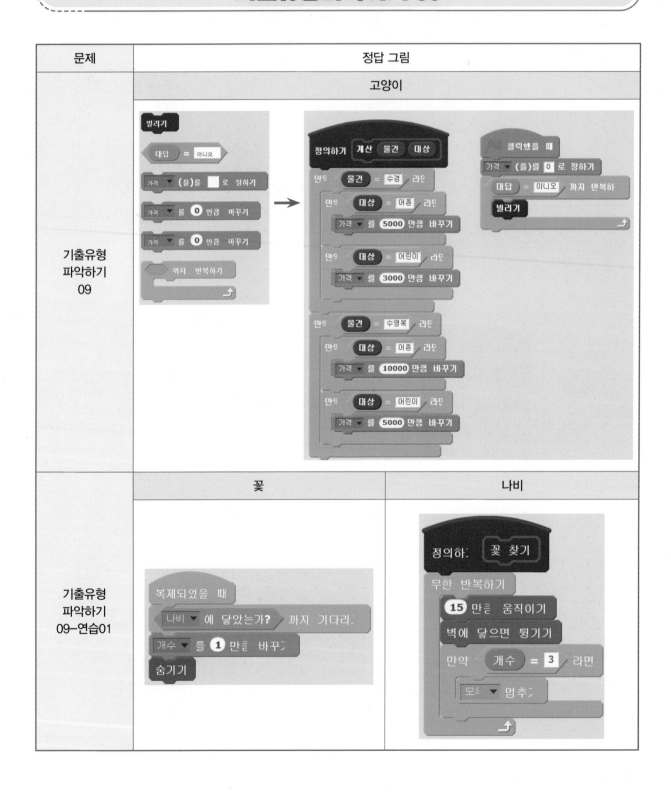

	꽃	나비
기출유형 파악하기 09-연습01		

문제	정답 그림	
	볼	막대
기출유형 파악하기 09-연습02	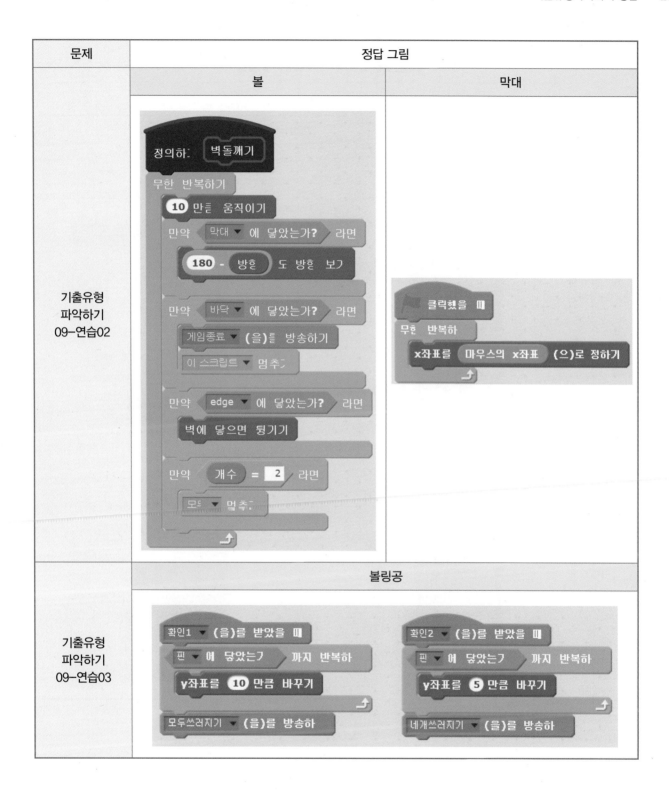	
	볼링공	
기출유형 파악하기 09-연습03		

기출유형파악하기 10

문제	정답 그림

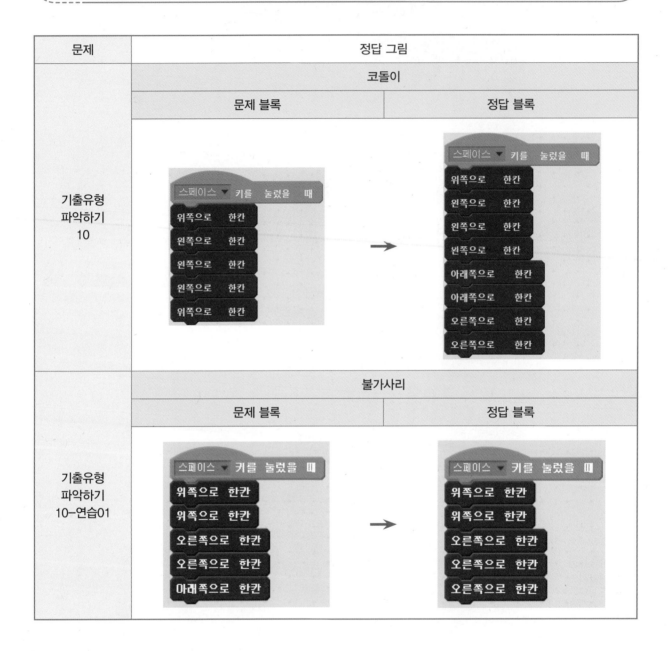

코돌이	
문제 블록	정답 블록

불가사리	
문제 블록	정답 블록

문제	정답 그림

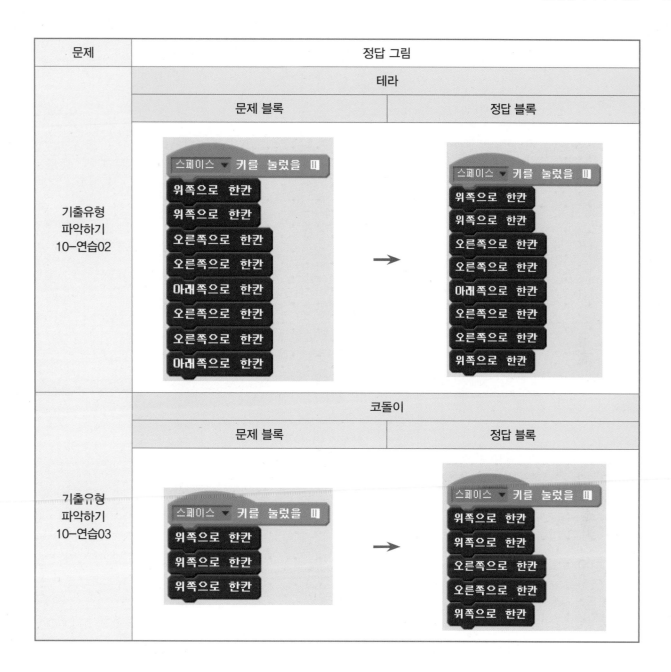

테라

문제 블록	정답 블록

기출유형
파악하기
10-연습02

문제 블록:
- 스페이스 ▼ 키를 눌렀을 때
- 위쪽으로 한칸
- 위쪽으로 한칸
- 오른쪽으로 한칸
- 오른쪽으로 한칸
- 아래쪽으로 한칸
- 오른쪽으로 한칸
- 오른쪽으로 한칸
- 아래쪽으로 한칸

정답 블록:
- 스페이스 ▼ 키를 눌렀을 때
- 위쪽으로 한칸
- 위쪽으로 한칸
- 오른쪽으로 한칸
- 오른쪽으로 한칸
- 아래쪽으로 한칸
- 오른쪽으로 한칸
- 오른쪽으로 한칸
- 위쪽으로 한칸

코돌이

문제 블록	정답 블록

기출유형
파악하기
10-연습03

문제 블록:
- 스페이스 ▼ 키를 눌렀을 때
- 위쪽으로 한칸
- 위쪽으로 한칸
- 위쪽으로 한칸

정답 블록:
- 스페이스 ▼ 키를 눌렀을 때
- 위쪽으로 한칸
- 위쪽으로 한칸
- 오른쪽으로 한칸
- 오른쪽으로 한칸
- 위쪽으로 한칸

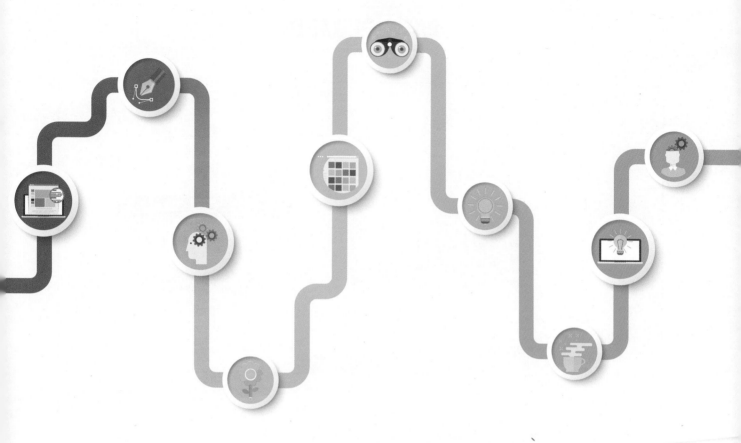

합격모의고사
정답

합격모의고사 01

문제	정답 그림

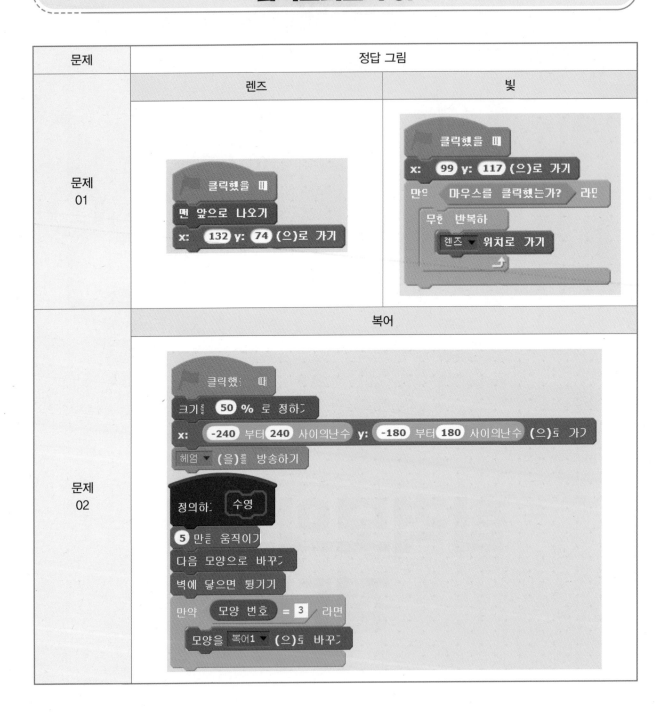

렌즈	빛

복어

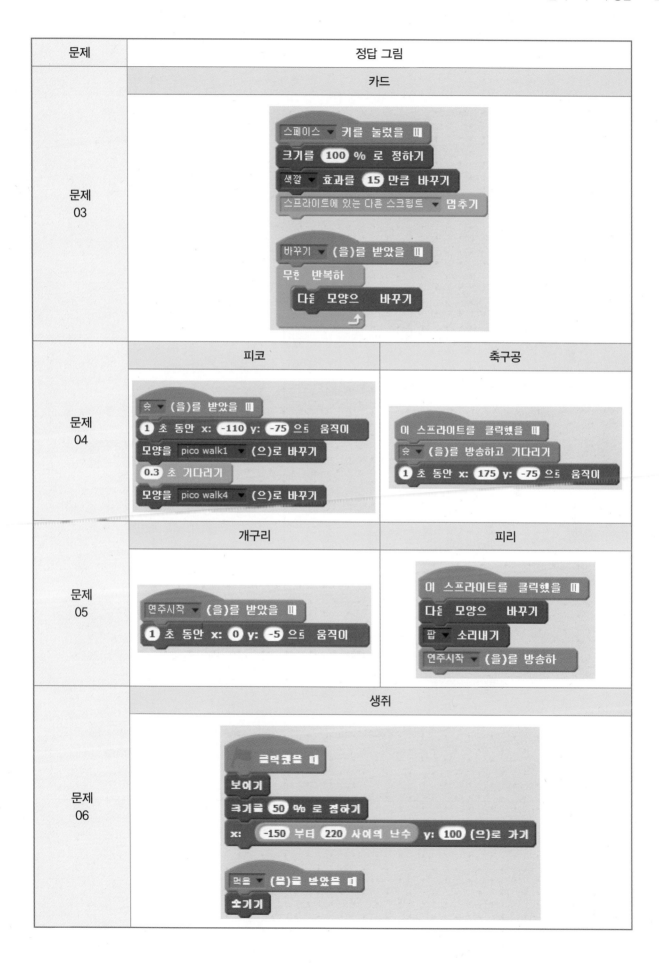

문제	정답 그림
문제 07	휴대폰 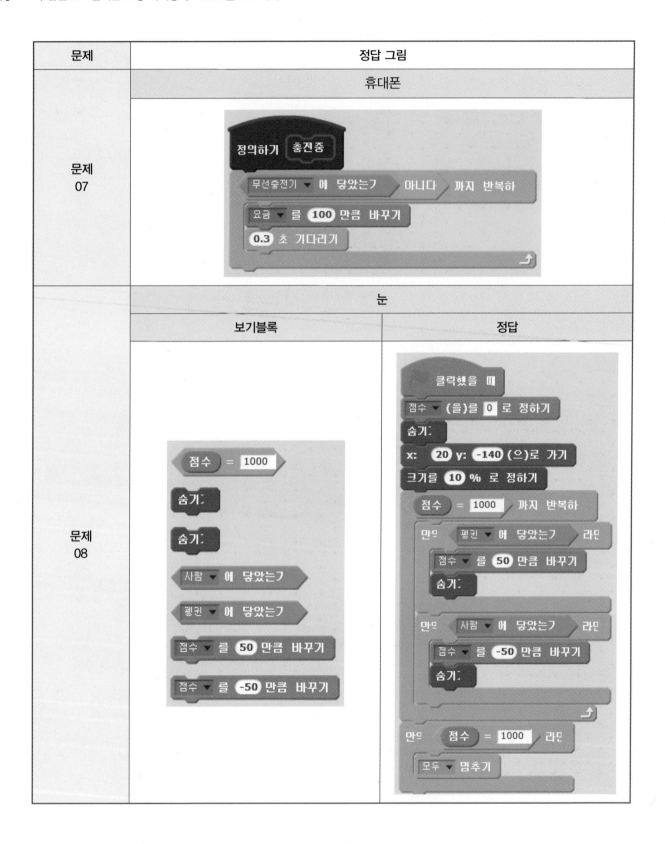

문제	정답 그림	
	고양이	
문제 09	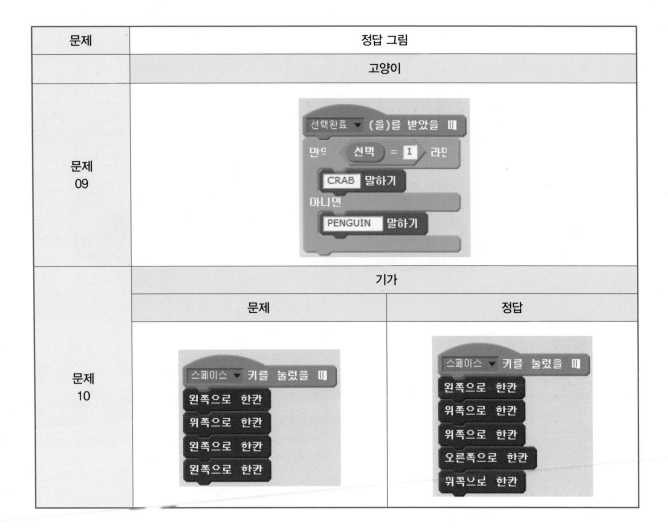	
	기가	
	문제	정답
문제 10		

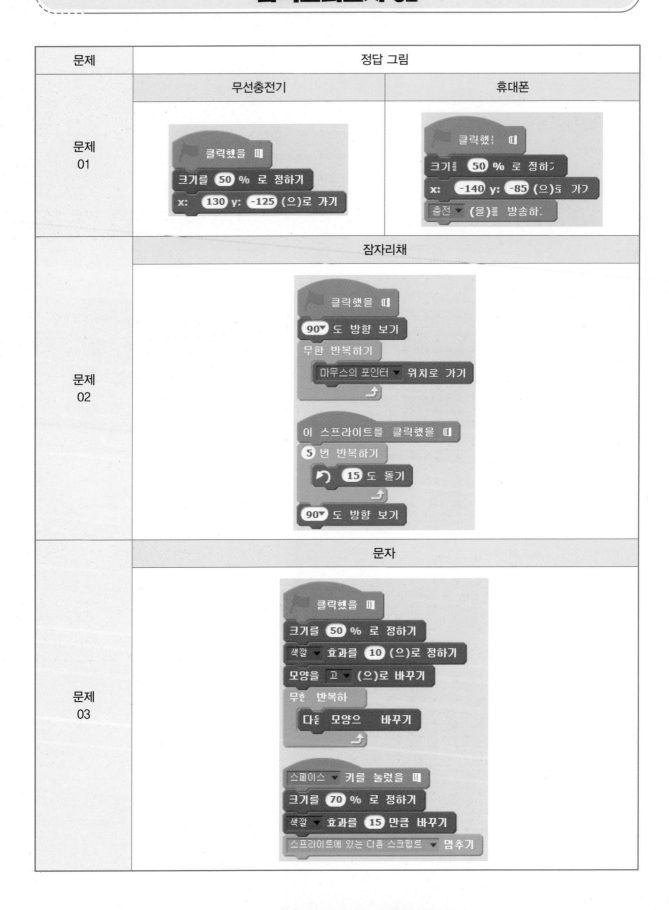

합격모의고사 02

문제	정답 그림
문제 01	무선충전기 / 휴대폰
문제 02	잠자리채
문제 03	문자

문제	정답 그림

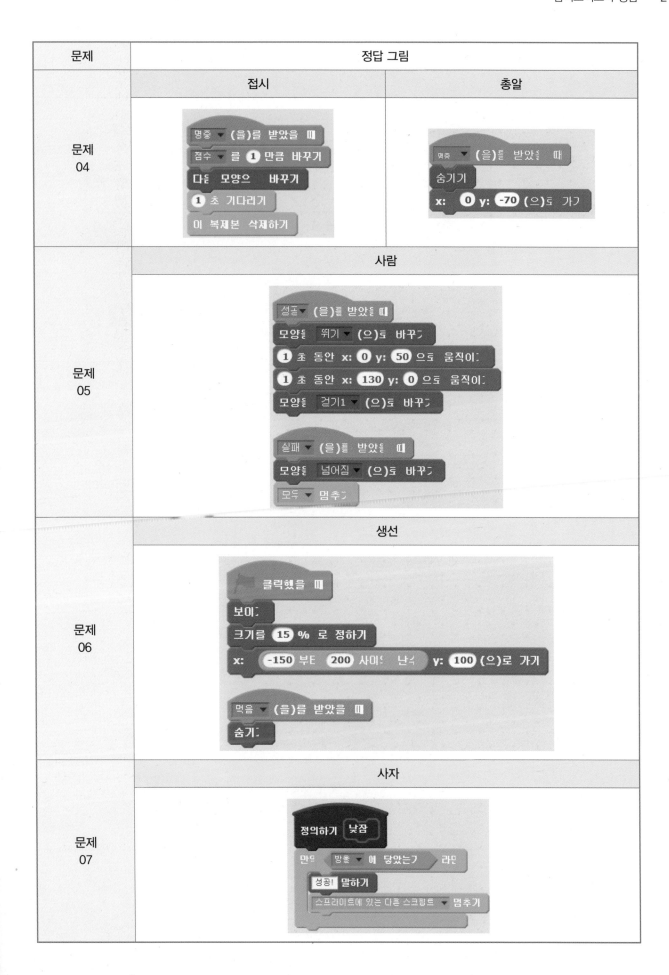

문제 04

접시

- 명중 ▼ (을)를 받았을 때
- 점수 ▼ 를 ① 만큼 바꾸기
- 다음 모양으로 바꾸기
- ① 초 기다리기
- 이 복제본 삭제하기

총알

- 명중 ▼ (을)를 받았을 때
- 숨기기
- x: ① y: -70 (으)로 가기

문제 05

사람

- 성공 ▼ (을)를 받았을 때
- 모양을 뛰기 ▼ (으)로 바꾸기
- ① 초 동안 x: ① y: 50 으로 움직이기
- ① 초 동안 x: 130 y: ① 으로 움직이기
- 모양을 걷기1 ▼ (으)로 바꾸기

- 실패 ▼ (을)를 받았을 때
- 모양을 넘어짐 ▼ (으)로 바꾸기
- 모두 ▼ 멈추기

문제 06

생선

- 클릭했을 때
- 보이기
- 크기를 15 % 로 정하기
- x: -150 부터 200 사이의 난수 y: 100 (으)로 가기

- 먹음 ▼ (을)를 받았을 때
- 숨기기

문제 07

사자

- 정의하기 낮잠
- 만일 방울 ▼ 에 닿았는가 라면
  - 성공! 말하기
  - 스프라이트에 있는 다른 스크립트 ▼ 멈추기

문제	정답 그림
문제 08	도깨비 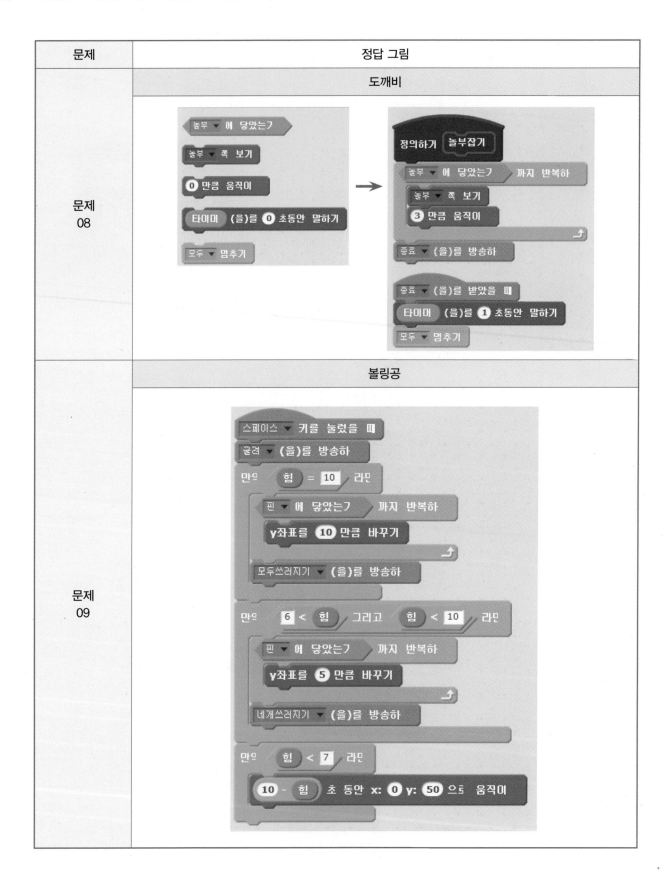
문제 09	볼링공

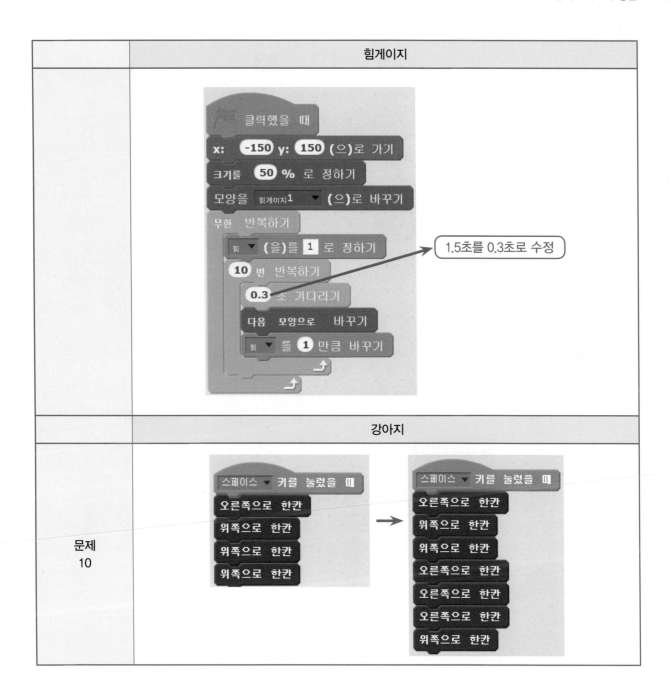

합격모의고사 03

문제	정답 그림

문제 01

물감 / 색

물감:
정의하기 물감복제
2 번 반복하
　나 자신 ▼ 복제하기
　x좌표를 50 만큼 바꾸기
　y좌표를 30 만큼 바꾸기
　다음 모양으로 바꾸기

색:
클릭했을 때
숨기기
x: -10 y: -130 (으)로 가기
크기를 60 % 로 정하기
무한 반복하
　색상

문제 02

고양이

정의하기 계산 입력
N ▼ (을)를 letter 1 of 입력 로 정하기
합 ▼ (을)를 letter 2 of 입력 + letter 3 of 입력 + letter 4 of 입력 로 정하기
결과 ▼ (을)를 절대값 ▼ of N - 합 로 정하기

문제 03

고양이

클릭했을 때
N ▼ (을)를 0 로 정하기
1~50 까지의 자연수 중에서 3의 배수를 찾아내는 프로그램입니다. (을)를 2 초동안 말하기
N = 50 까지 반복하
　N ▼ 를 1 만큼 바꾸기
　만약 N 나누기 3 의 나머지 = 0 라면
　　3의 배수입니다. 말하기
　아니면
　　N 말하기

1 초 기다리기

문제	정답 그림	
	게이트볼	골인지점
문제 04	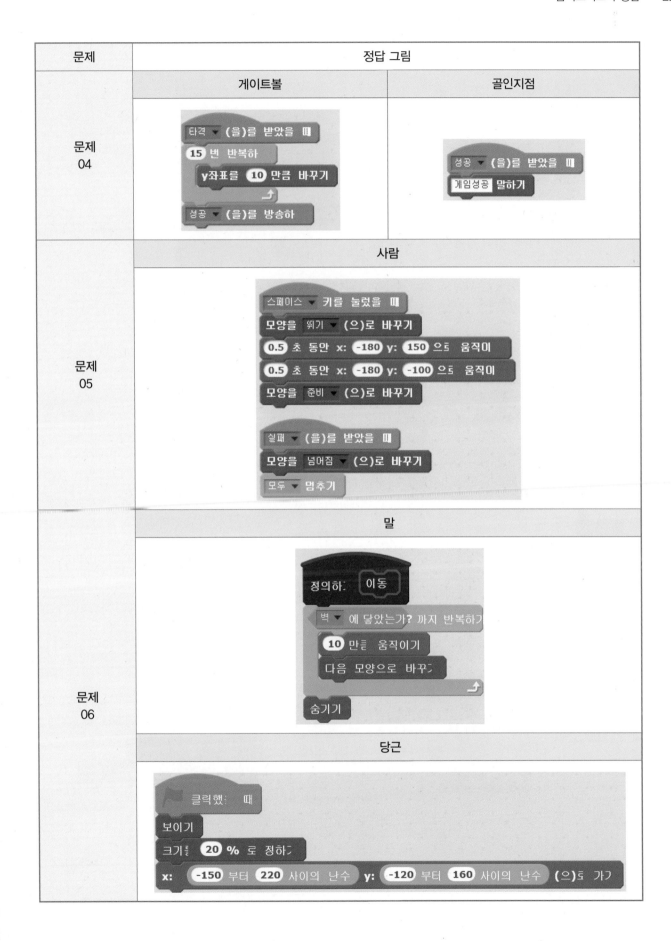	
	사람	
문제 05		
	말	
문제 06		
	당근	

문제	정답 그림

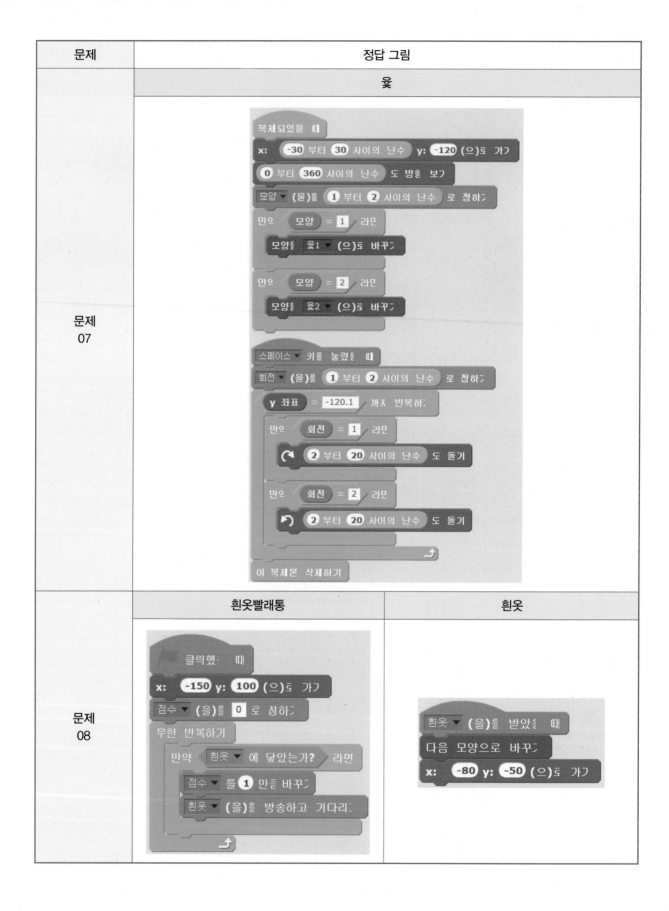

문제	정답 그림
문제 09	고양이
문제 10	코돌이

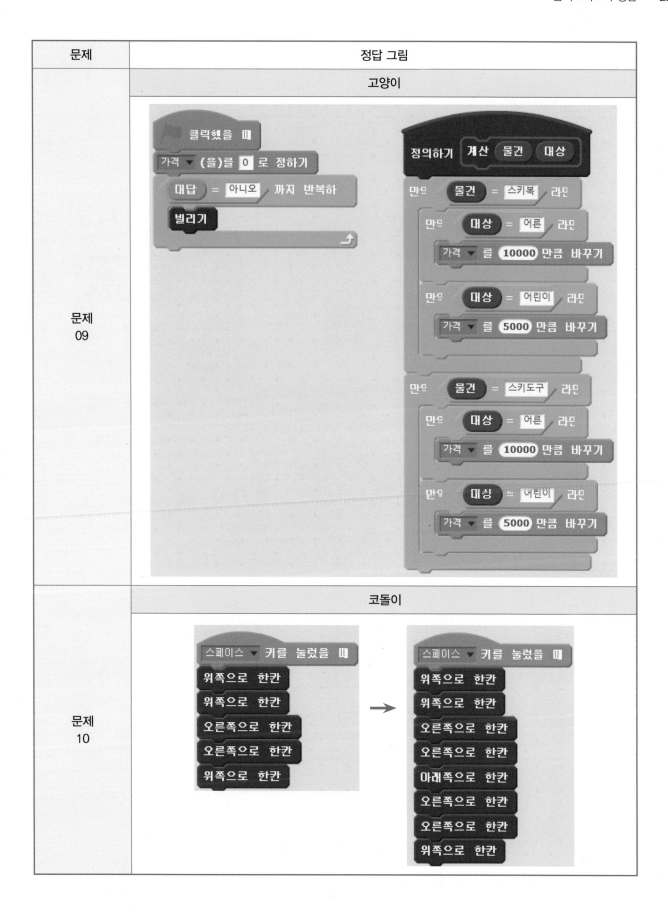

합격모의고사 04

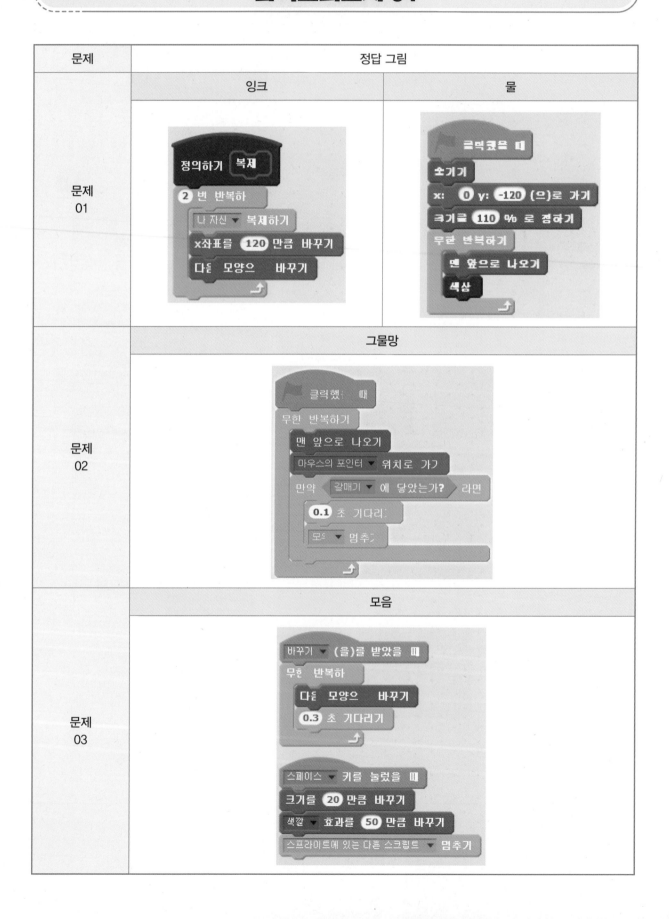

문제	정답 그림
문제 01	**잉크** / **물**
문제 02	**그물망**
문제 03	**모음**

문제	정답 그림	
	컬링스톤	골인지점
문제 04	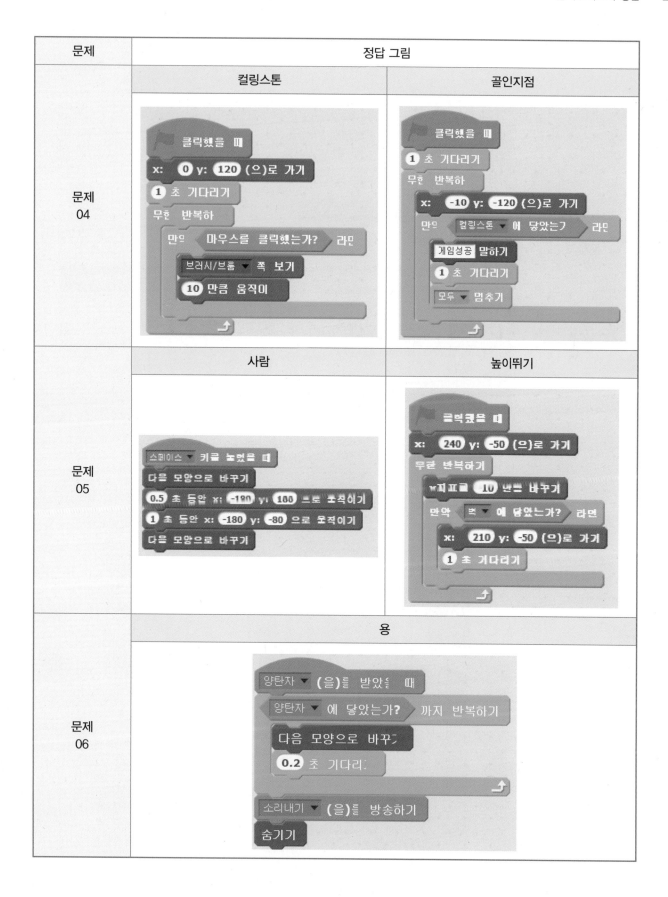	
	사람	높이뛰기
문제 05		
	용	
문제 06		

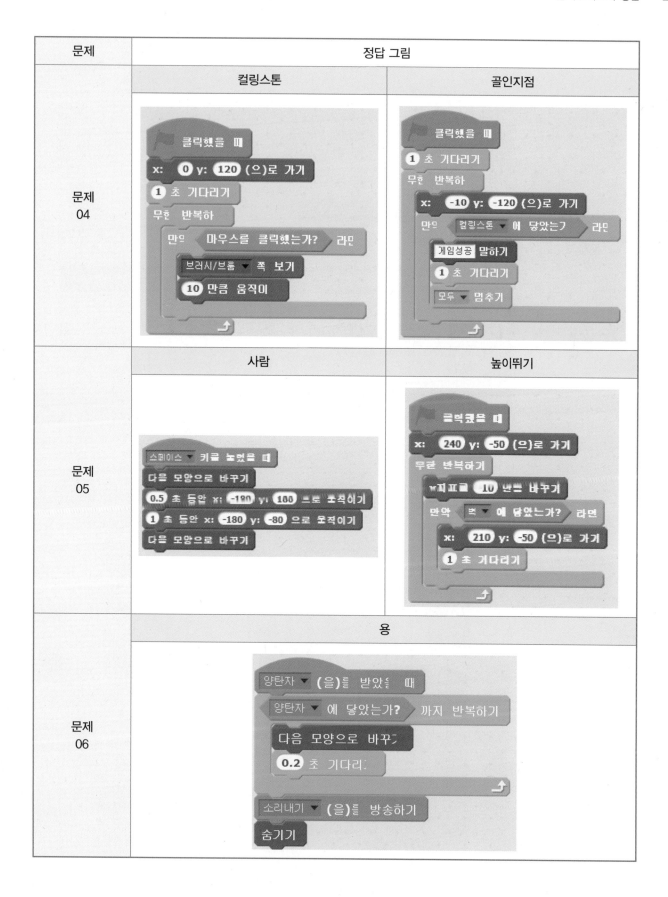

문제	정답 그림
문제 07	야채전
문제 08	바나나

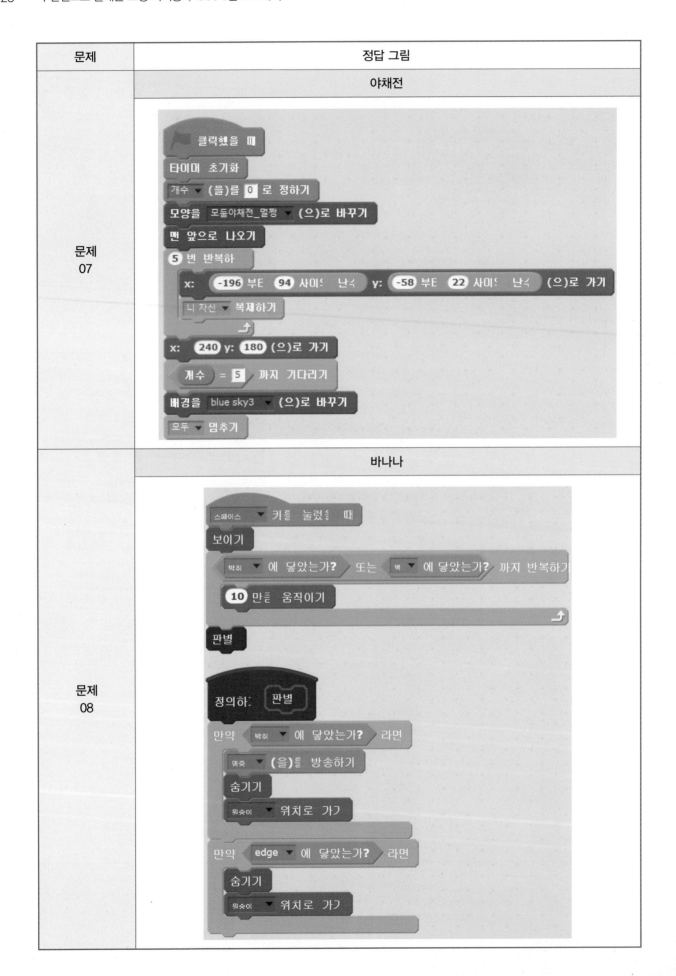

문제	정답 그림
	고양이
문제 09	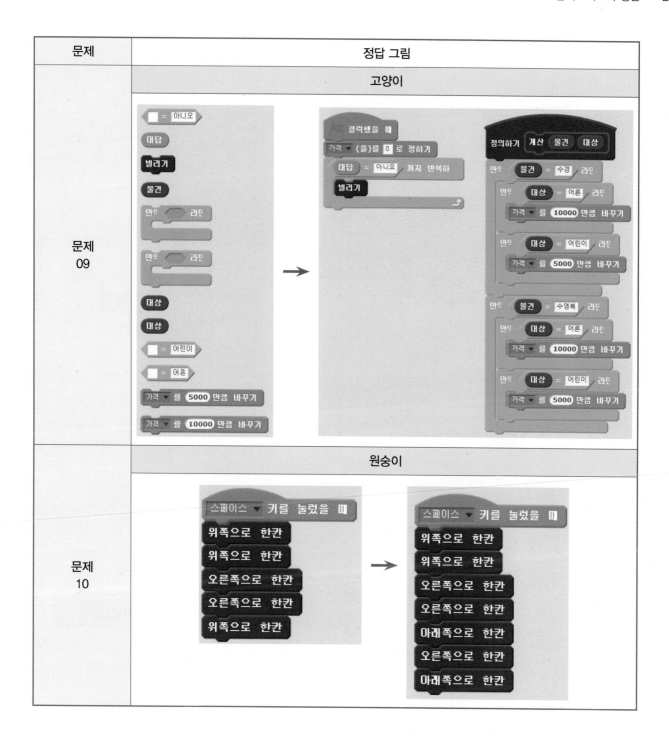
	원숭이
문제 10	

합격모의고사 05

문제	정답 그림
문제 01	붓
문제 02	모기
문제 03	한글

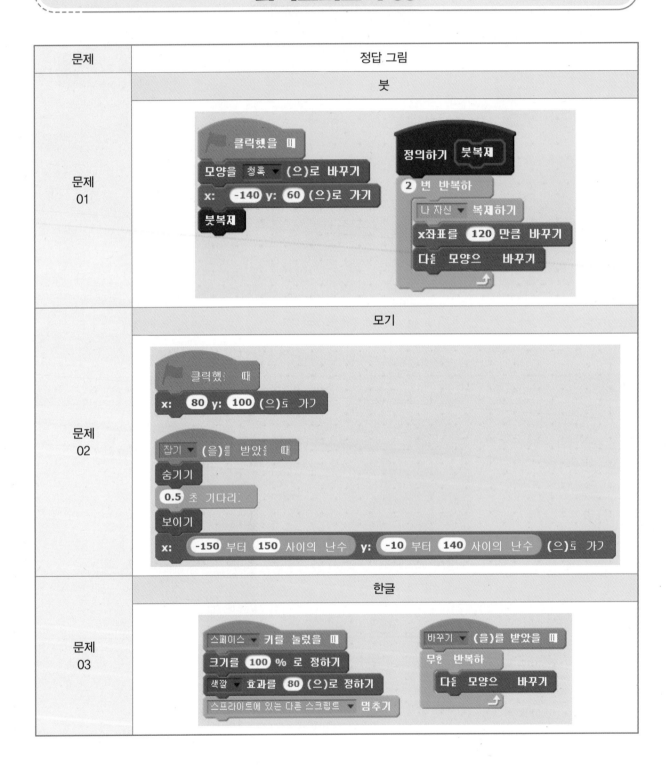

<table>
<tr><th>문제</th><th>정답 그림</th></tr>
<tr><td rowspan="2">문제
04</td><td>탁구공</td></tr>
<tr><td>
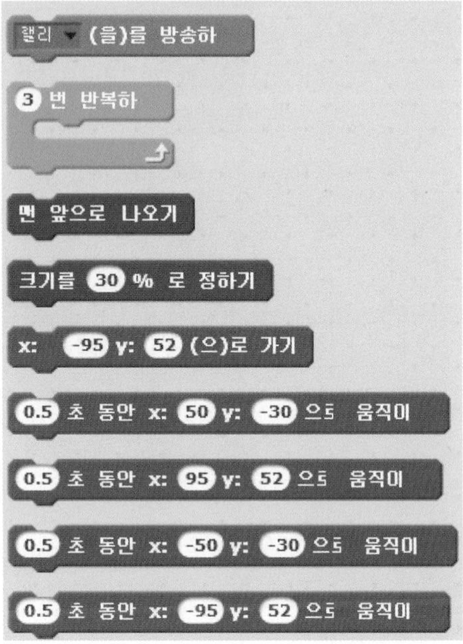

↓

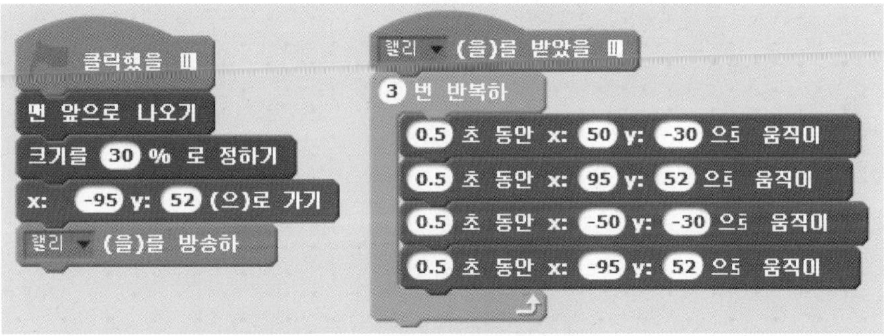

</td></tr>
<tr><td rowspan="2">문제
05</td><td>고양이</td></tr>
<tr><td>
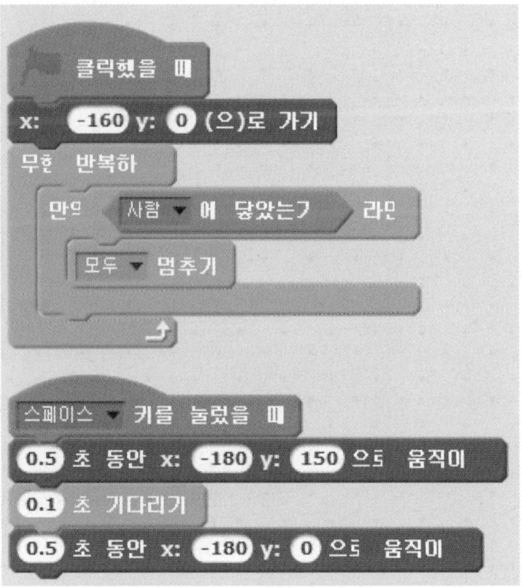

</td></tr>
</table>

문제	정답 그림
	악어
문제 06	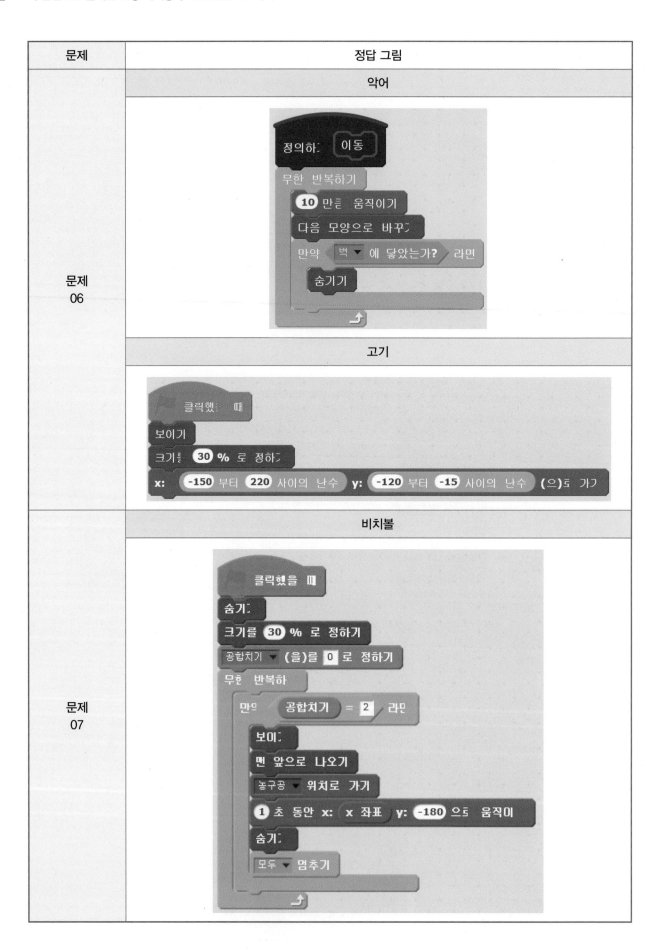
	고기
문제 07	비치볼

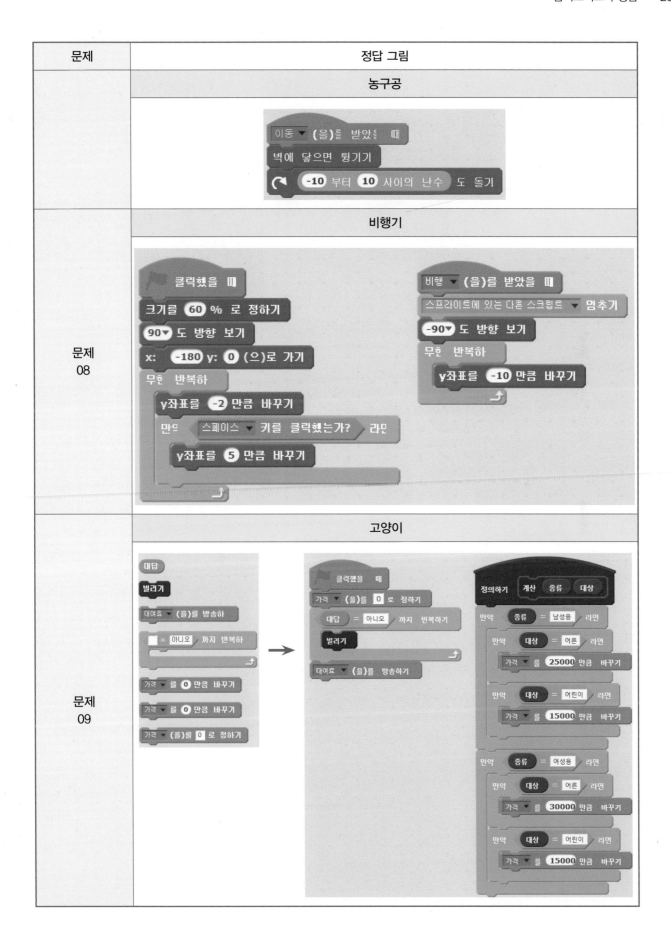

문제	정답 그림
	코돌이
문제 10	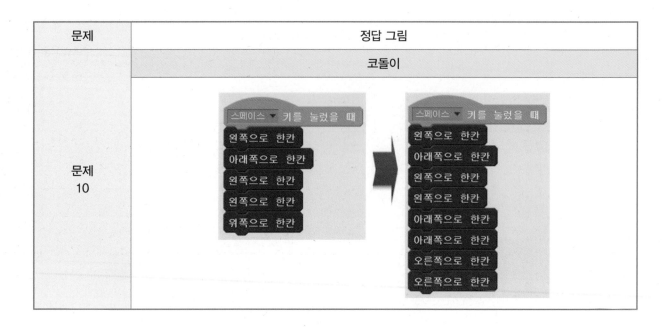

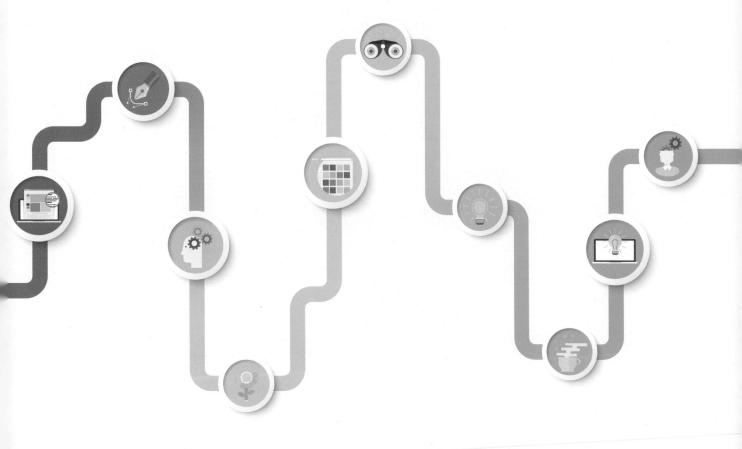

최신기출문제
정답

최신기출문제 01

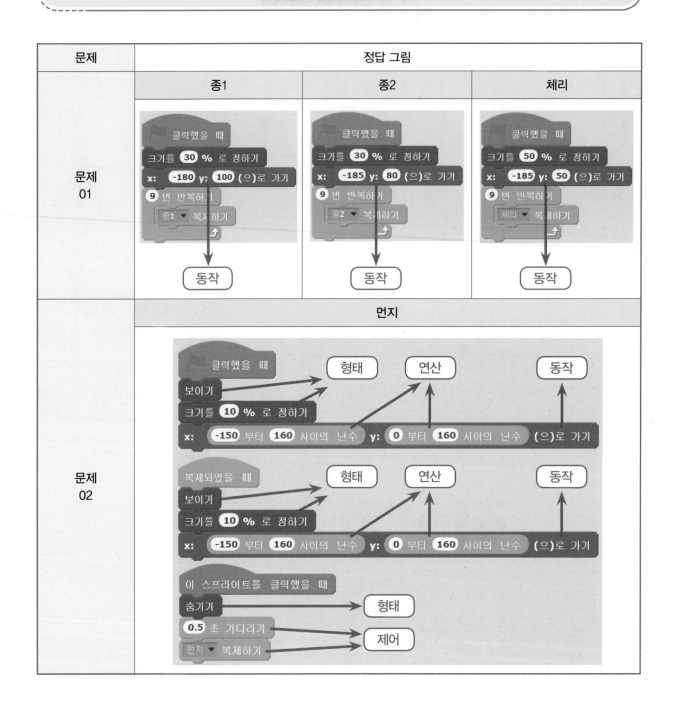

문제	정답 그림

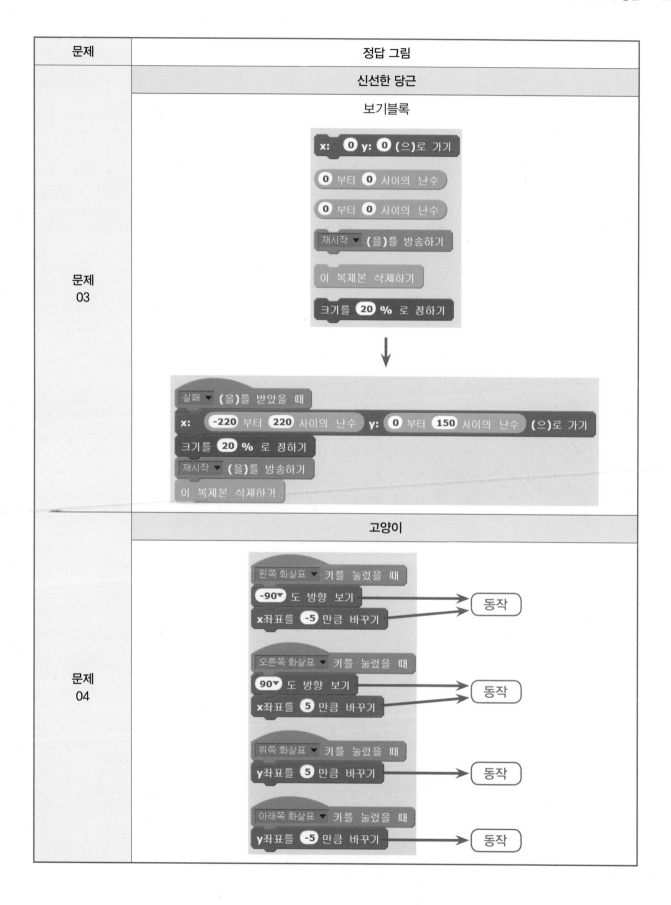

문제	정답 그림
문제 05	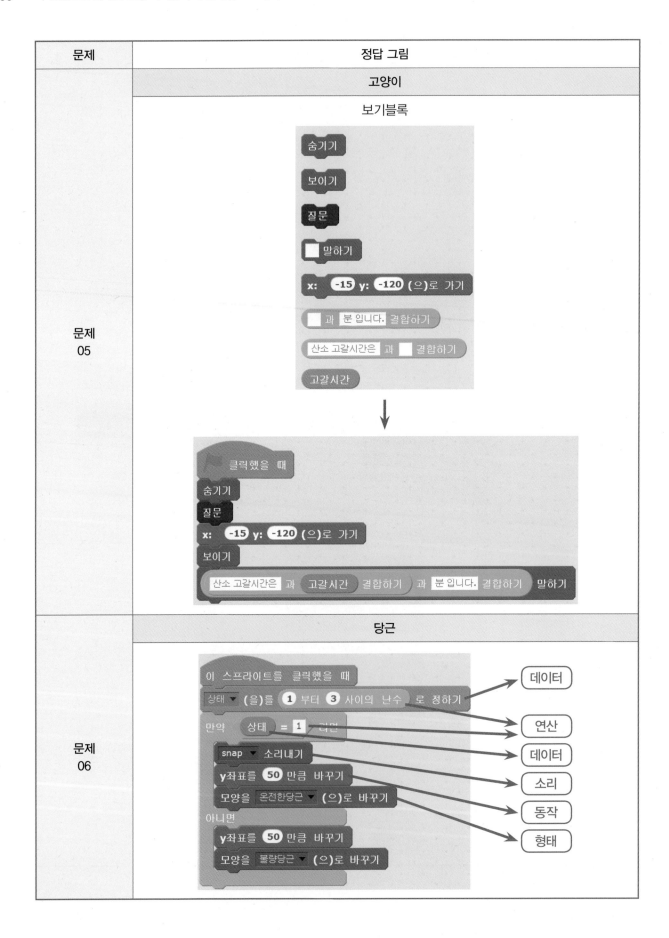
문제 06	

고양이

보기블록

당근

문제	정답 그림
문제 07	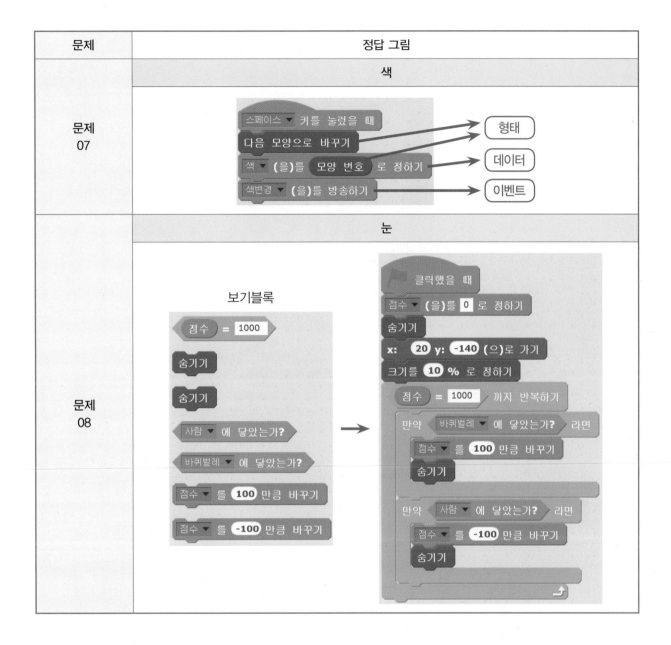
문제 08	

문제	정답 그림
문제 09	**벼** 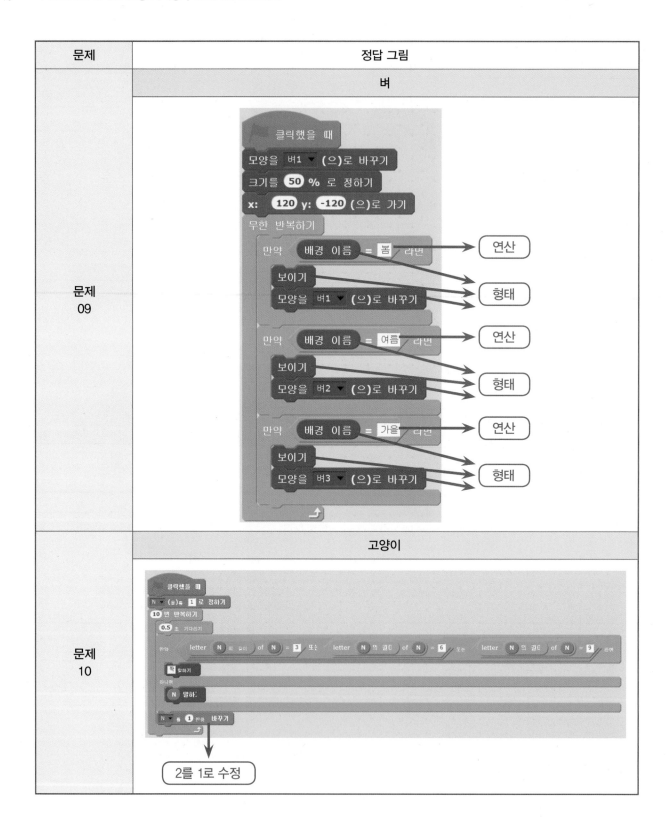
문제 10	**고양이**

최신기출문제 02

문제	정답 그림
문제 01	셔틀콕 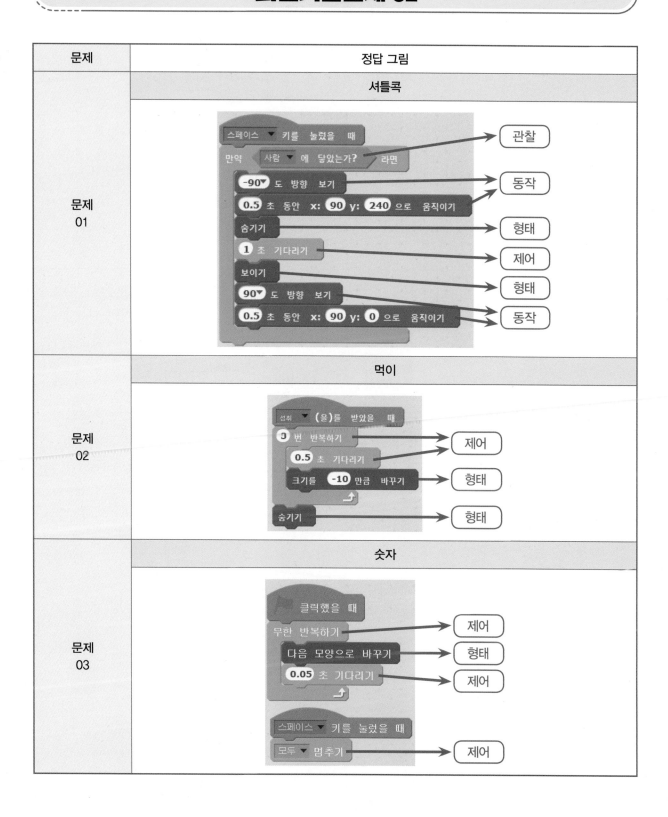
문제 02	먹이
문제 03	숫자

문제	정답 그림

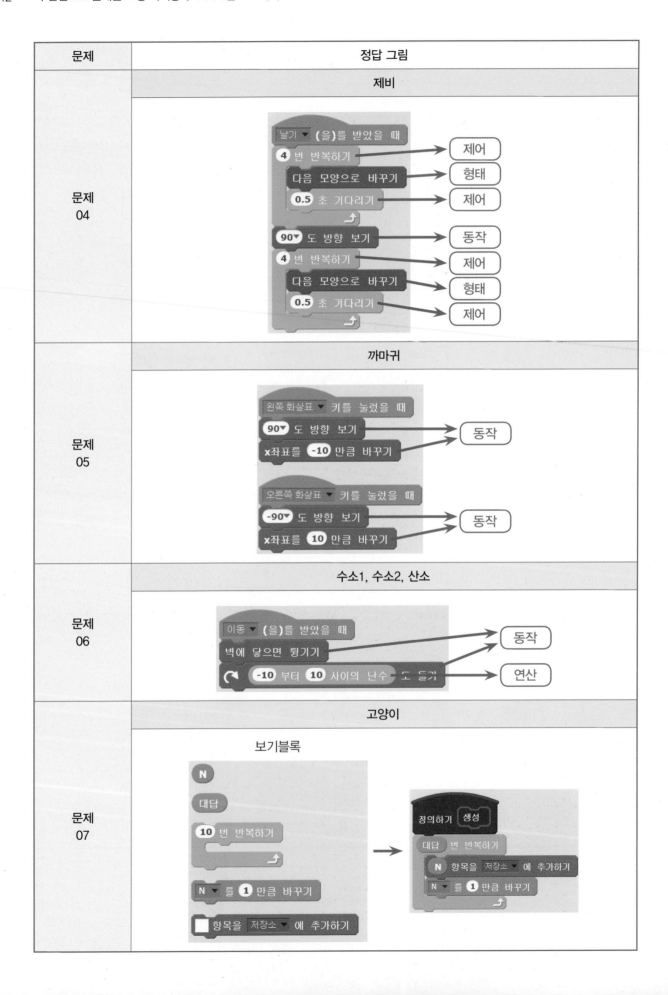

문제	정답 그림

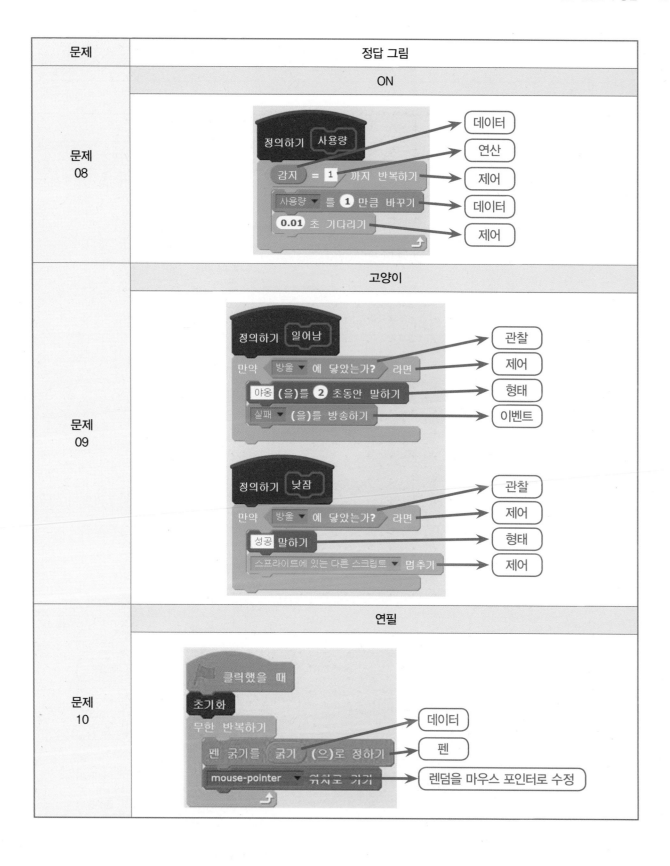

최신기출문제 03

문제	정답 그림

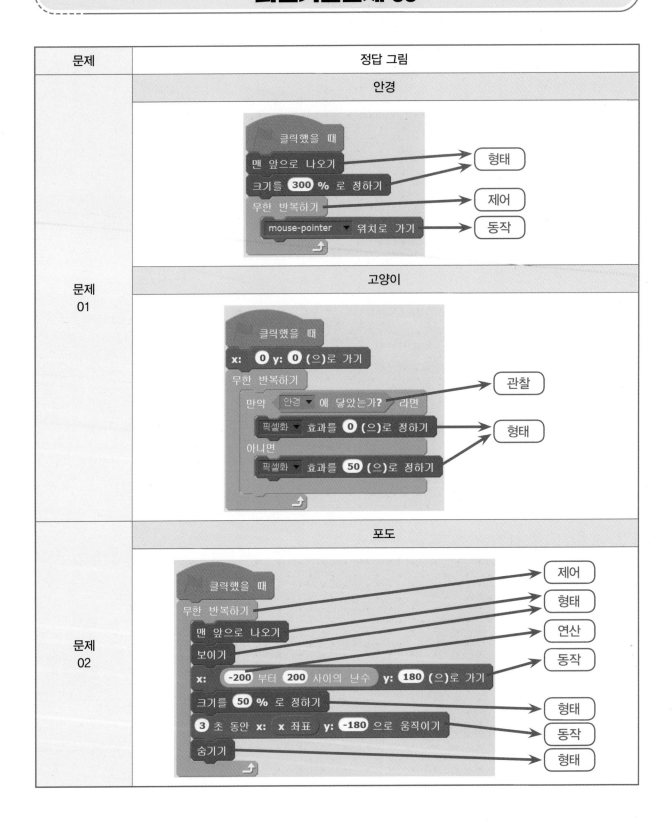

문제 01

안경

클릭했을 때
맨 앞으로 나오기 → 형태
크기를 300 % 로 정하기 → 형태
무한 반복하기 → 제어
mouse-pointer ▼ 위치로 가기 → 동작

고양이

클릭했을 때
x: 0 y: 0 (으)로 가기
무한 반복하기
만약 안경 ▼ 에 닿았는가? 라면 → 관찰
픽셀화 ▼ 효과를 0 (으)로 정하기 → 형태
아니면
픽셀화 ▼ 효과를 50 (으)로 정하기

문제 02

포도

클릭했을 때 → 제어
무한 반복하기 → 형태
맨 앞으로 나오기 → 형태
보이기 → 연산
x: -200 부터 200 사이의 난수 y: 180 (으)로 가기 → 동작
크기를 50 % 로 정하기 → 형태
3 초 동안 x: x 좌표 y: -180 으로 움직이기 → 동작
숨기기 → 형태

문제	정답 그림
문제 03	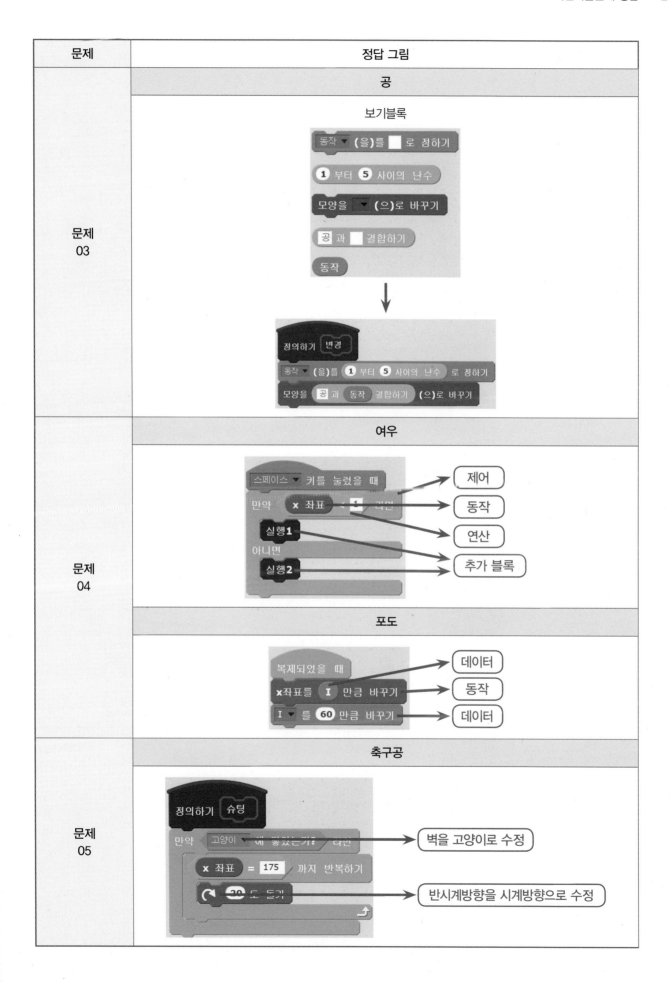
문제 04	
문제 05	

문제	정답 그림

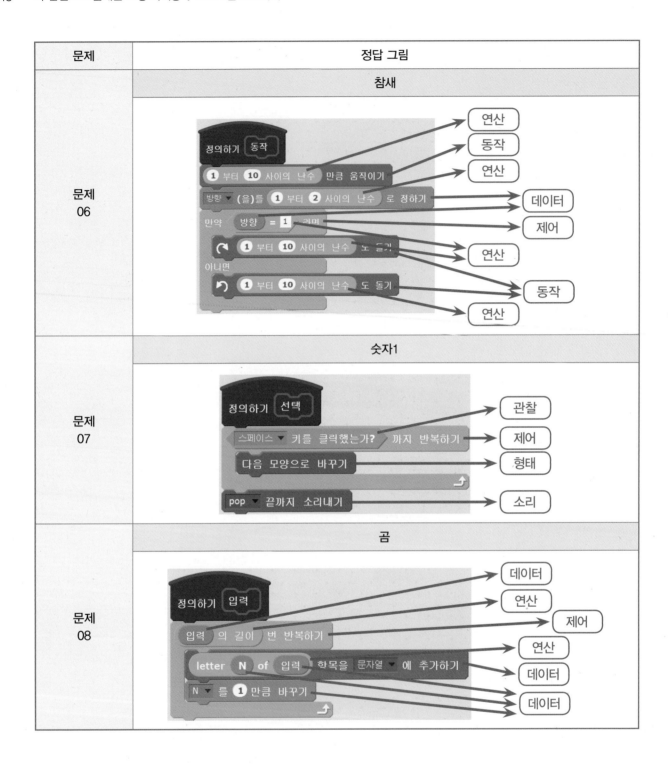

문제	정답 그림
	연필
문제 09	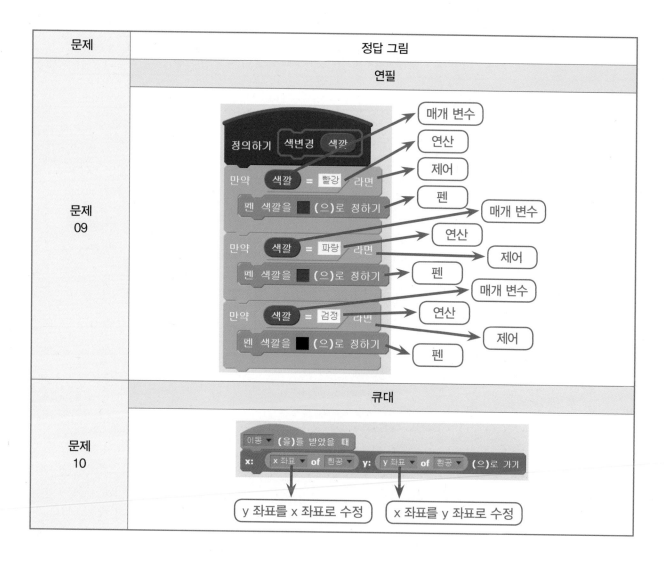
	큐대
문제 10	

최신기출문제 04

문제	정답 그림
	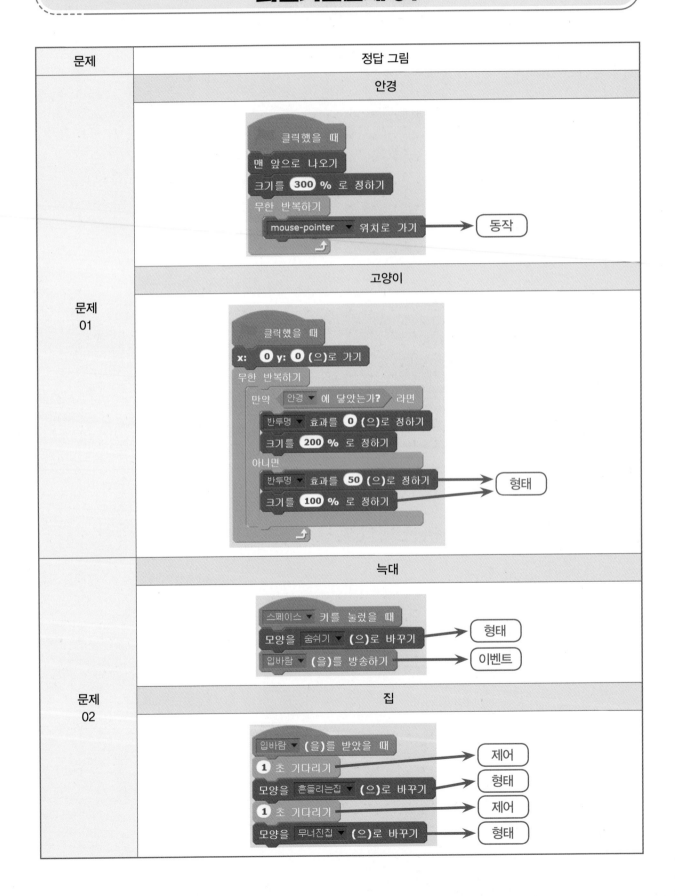

안경

클릭했을 때
맨 앞으로 나오기
크기를 300 % 로 정하기
무한 반복하기
mouse-pointer ▼ 위치로 가기 → 동작

고양이

클릭했을 때
x: 0 y: 0 (으)로 가기
무한 반복하기
만약 안경 ▼ 에 닿았는가? 라면
반투명 ▼ 효과를 0 (으)로 정하기
크기를 200 % 로 정하기
아니면
반투명 ▼ 효과를 50 (으)로 정하기 → 형태
크기를 100 % 로 정하기

늑대

스페이스 ▼ 키를 눌렀을 때
모양을 숨쉬기 ▼ (으)로 바꾸기 → 형태
입바람 ▼ (을)를 방송하기 → 이벤트

집

입바람 ▼ (을)를 받았을 때 → 제어
1 초 기다리기 → 형태
모양을 흔들리는집 ▼ (으)로 바꾸기 → 제어
1 초 기다리기 → 형태
모양을 무너진집 ▼ (으)로 바꾸기

문제 01 / 문제 02

문제	정답 그림
	<div align="center">숫자</div>
문제 03	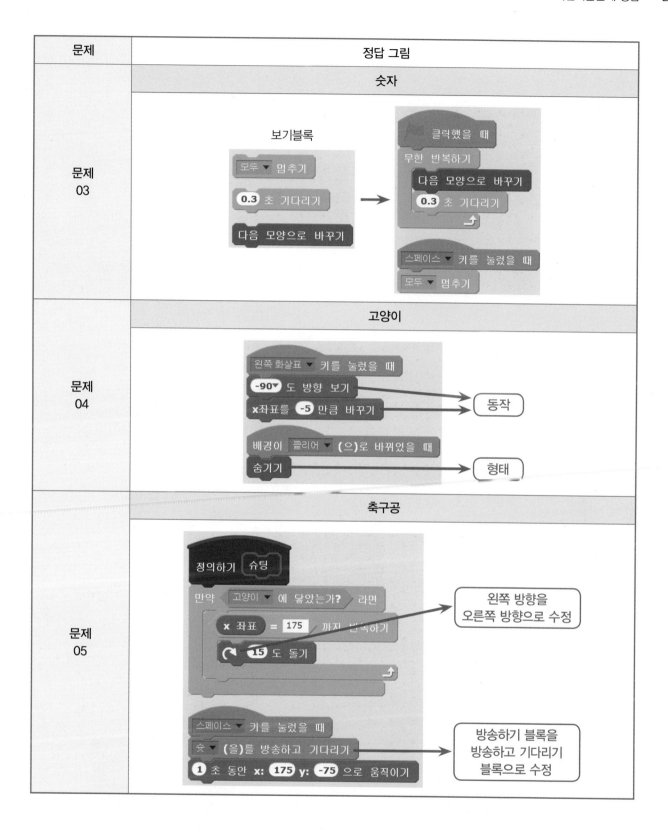
	<div align="center">고양이</div>
문제 04	
	<div align="center">축구공</div>
문제 05	

문제	정답 그림
	키커
문제 06	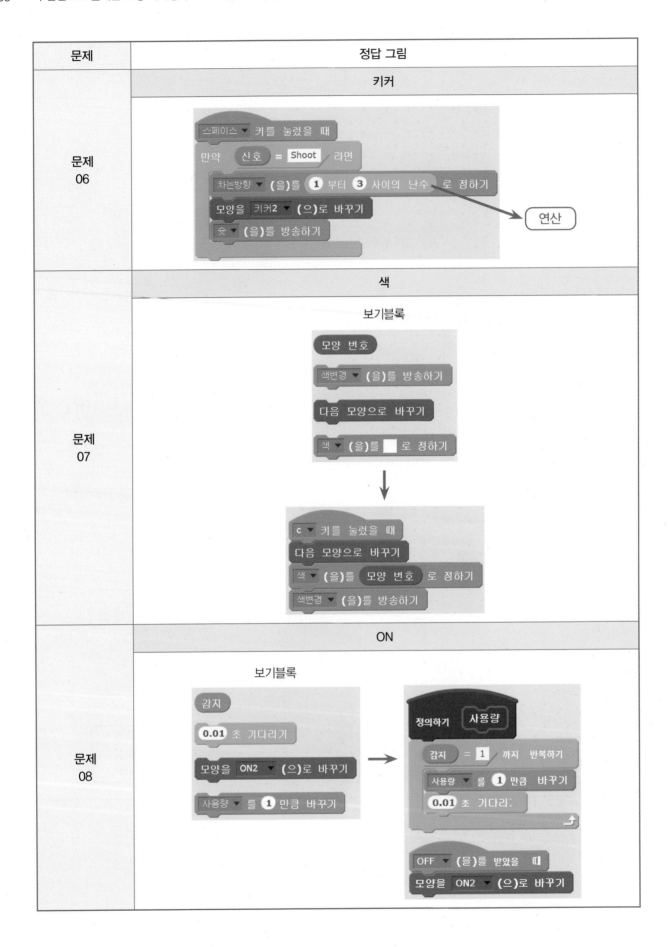
	색
문제 07	
	ON
문제 08	

문제	정답 그림
	고양이
문제 09	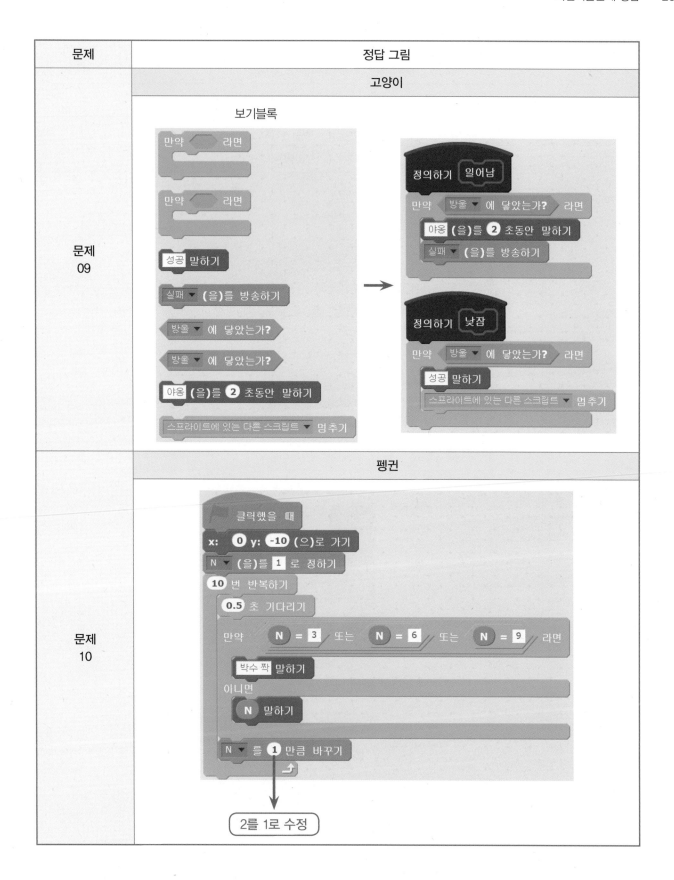
	펭귄
문제 10	

최신기출문제 05

문제	정답 그림
문제 01	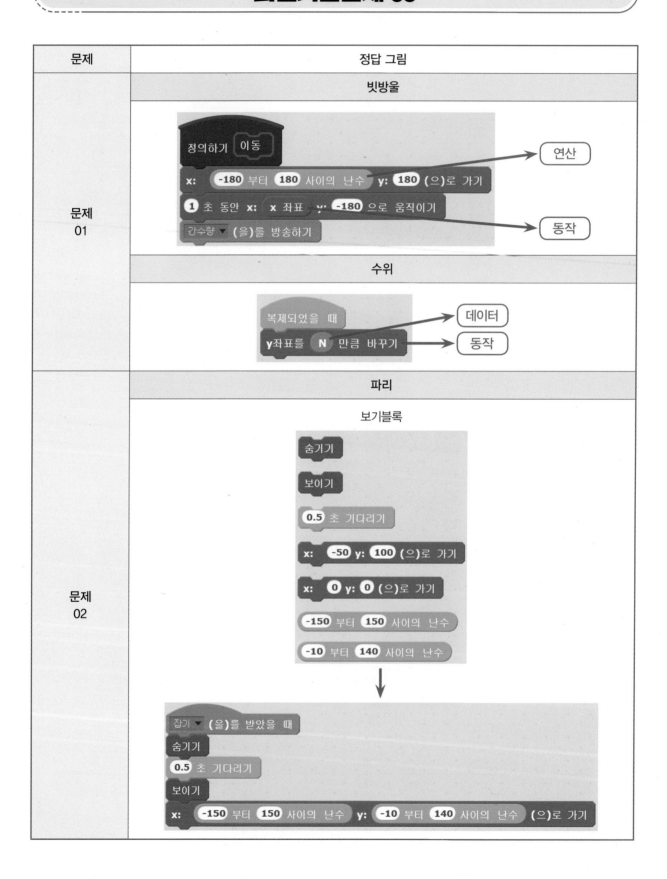
문제 02	

문제	정답 그림
문제 03	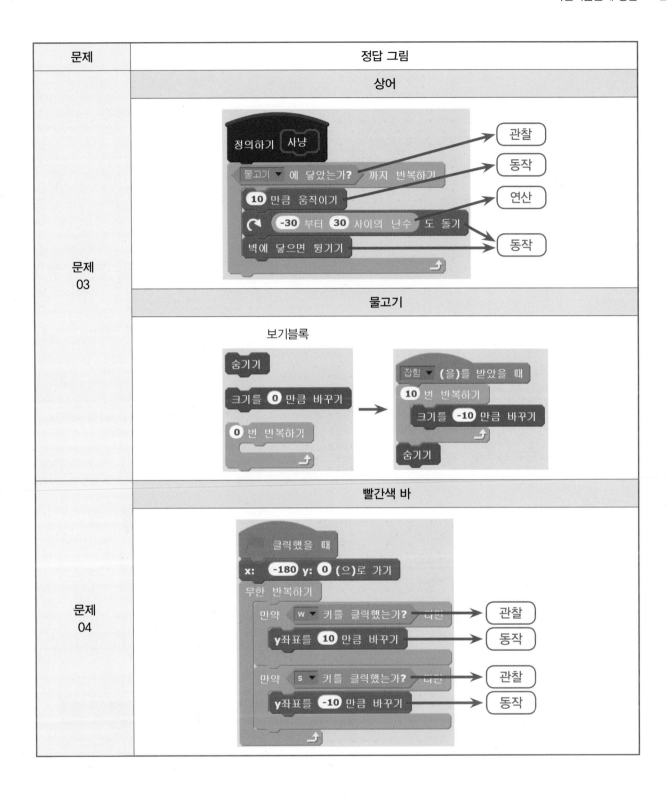
문제 04	

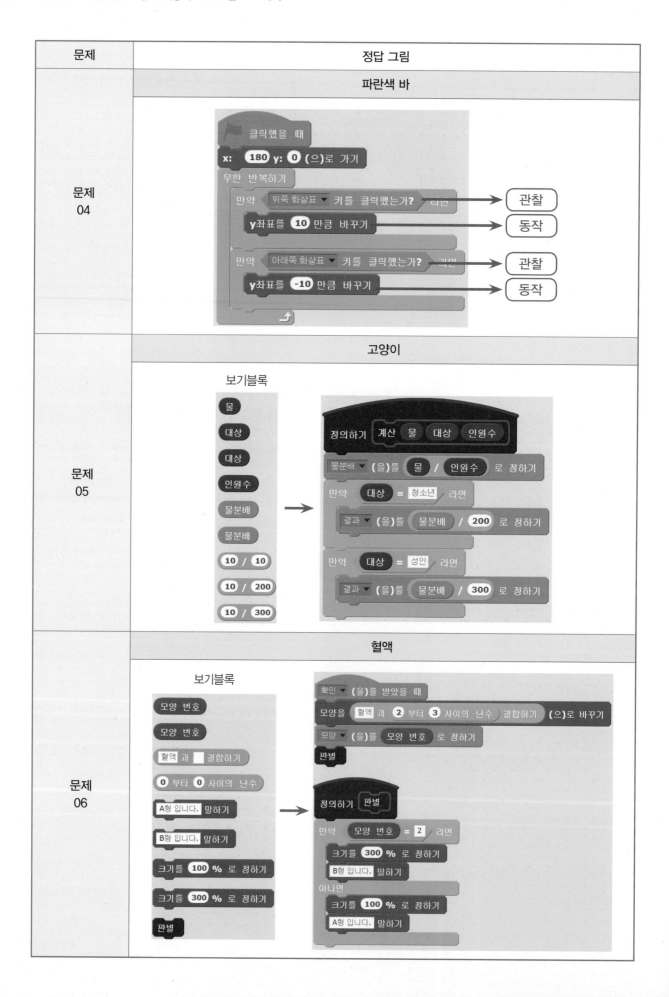

문제	정답 그림
	사자
문제 07	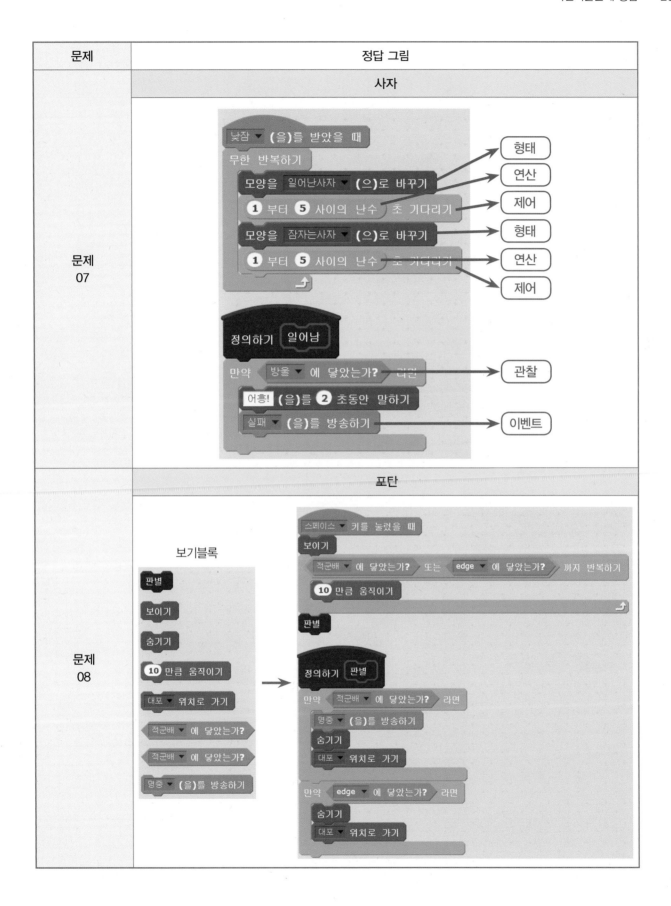
	포탄
문제 08	

사자

낮잠 ▼ (을)를 받았을 때
무한 반복하기
　모양을 일어난사자 ▼ (으)로 바꾸기 → 형태
　1 부터 5 사이의 난수 → 연산
　초 기다리기 → 제어
　모양을 잠자는사자 ▼ (으)로 바꾸기 → 형태
　1 부터 5 사이의 난수 → 연산
　초 기다리기 → 제어

정의하기 일어남

만약 방울 ▼ 에 닿았는가? 라면 → 관찰
　어흥! (을)를 2 초동안 말하기
　실패 ▼ (을)를 방송하기 → 이벤트

포탄

보기블록

판별
보이기
숨기기
10 만큼 움직이기
대포 ▼ 위치로 가기
적군배 ▼ 에 닿았는가?
적군배 ▼ 에 닿았는가?
명중 ▼ (을)를 방송하기

→

스페이스 ▼ 키를 눌렀을 때
보이기
적군배 ▼ 에 닿았는가? 또는 edge ▼ 에 닿았는가? 까지 반복하기
　10 만큼 움직이기

판별

정의하기 판별
만약 적군배 ▼ 에 닿았는가? 라면
　명중 ▼ (을)를 방송하기
　숨기기
　대포 ▼ 위치로 가기
만약 edge ▼ 에 닿았는가? 라면
　숨기기
　대포 ▼ 위치로 가기

문제	정답 그림
문제 09	고양이 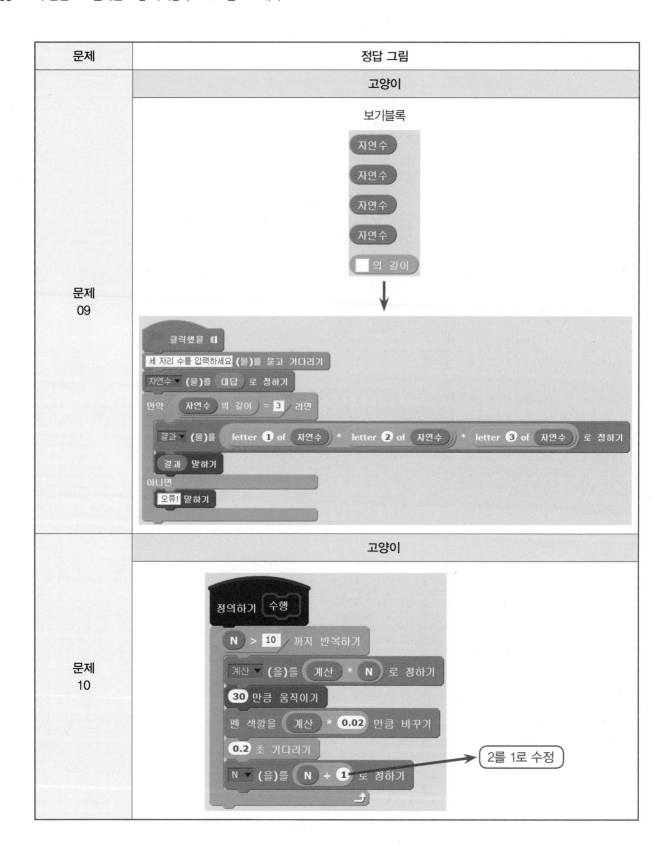
문제 10	고양이